103

'해방의 전사'

Eiichiro Oda

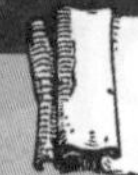

밀짚모자 일당

쵸파에몬 【 닌자 】
토니토니 쵸파

'새의 왕국'에서 '강한 약' 연구에 몰두하다, 재합류에 성공.

[선의 현상금 100베리]

루피타로 【 낭인 】
몽키 · D · 루피

해적왕을 꿈꾸는 청년. 2년의 수련을 거치고, 동료와 합류. 신세계로 향한다!

[선장 현상금 15억베리]

오로비 【 게이샤 】
니코 로빈

혁명군 리더이자 루피의 아버지 드래곤이 있는 바르티고를 거쳐, 합류.

[고고학자 현상금 1억 3000만베리]

조로주로 【 낭인 】
롤로노아 조로

어두우르가나 섬에서 자존심을 버리고 미호크에게 검의 가르침을 간청, 이후 합류에 성공.

[전투원 현상금 3억 2000만베리]

프라노스케 【 목수 】
프랑키

'미래국 벌지모어'에서 자신의 몸을 더욱 개조, '아머드 프랑키'가 되어 합류.

[조선공 현상금 9400만베리]

오나미 【 여닌자 】
나미

기후를 분석하는 나라, 작은 하늘섬 '웨더리아'에서 신세계의 기후를 배워 합류.

[항해사 현상금 6600만베리]

본키치 【 유령 】
브룩

수장족에게 잡혀 구경거리가 되었으나, 대스타 '소울킹' 브룩으로 출세해 합류.

[음악가 현상금 8300만베리]

우소하치 【두꺼비 기름 장수】
우솝

보인 열도에서, '저격의 제왕'이 되기 위해 헤라크레스의 가르침을 받고 합류.

[저격수 현상금 2억베리]

바다의 협객 징베
【 전(前) 왕의 부하 칠무해 】

인의를 관철하는 사나이. 빅 맘과의 격전 당시 루피를 도주시키기 위해 최후미를 맡았고, 습격 전에 합류.

[조타수 현상금 4억 3800만 베리]

상고로 【 소바장수 】
상디

'뉴하프만 왕국'에서 뉴커머 권법의 고수들과 대전, 한층 더 성장하여 합류.

[요리사 현상금 3억 3000만 베리]

Shanks
샹크스

'사황' 중 한 사람. '위대한 항로' 후반 '신세계'에서 루피를 기다린다.

[빨간 머리 해적단 선장]

와노쿠니 (코즈키 가문)

코즈키 모모노스케
[와노쿠니 쿠리 다이묘 (후계자)]

아카자야 아홉 남자

여우불 킨에몬
[와노쿠니의 사무라이]

덴지로
[전(前) 환전상 쿄시로]

안개의 라이조
[와노쿠니의 닌자]

잔설의 키쿠노죠
[와노쿠니의 사무라이]

아슈라 동자 (슈텐마루)
[아타마야마 도적단 두령]

요코즈나 카와마츠
[와노쿠니의 사무라이]

이누아라시 공작
[모코모 공국 낮의 왕]

네코마무시 나리
[모코모 공국 밤의 왕]

소낙비 칸주로
[와노쿠니의 사무라이]

코즈키 히요리(코무라사키)
[모모노스케의 여동생]

트라팔가 로
[하트 해적단 선장]

불사조 마르코
[전(前) 흰 수염 해적단 1번대 대장]

이조
[전(前) 흰 수염 해적단 16번대 대장]

오타마

시노부

꽃의 효고로

캐럿

완다

키드 해적단

유스타스 키드
[키드 해적단 선장]

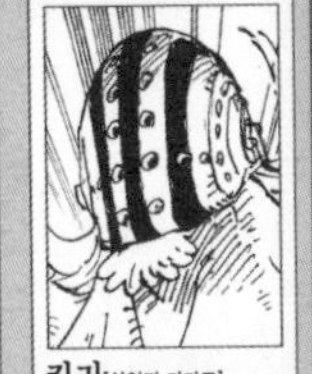
킬러(살인귀 카마조)
[키드 해적단 전투원]

백수 해적단

'정보꾼'

스크래치멘 아푸

[온에어 해적단 선장]

백수의 카이도

【 사황 】

수치례 고문과 사형을 당하고도 아무도 그를 죽일 수 없어, '최강의 생물'로 불리는 해적.

[백수 해적단 총독]

'대간판'

화재(火災)의 킹

역재(疫災)의 퀸

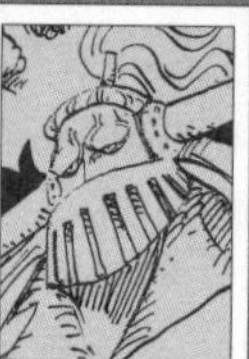

가뭄해의 잭

'토비롯포'

블랙마리아

후즈 후

'신우치'

바질 호킨스

바오황

페이지원

울티

사사키

NUMBERS

인비

후가

잔키

쟈키

고키

난기

핫챠

쿠늎

쥬키

갱을 맺어 최악의 상황으로!! 하지만 카이도의 딸 야마토를 아군으로 삼고, 나아가 각자가 전력 배틀을 벌여 간부들을
과해 열세를 뒤집어 간다. 그리고 한 번 패배한 루피가 멋지게 부활해 재차 카이도와의 결전에 나선다!! 한편, 키드와 로도
맘과 대치하여 격전 중!! 그 무렵, 상디와 조로는 각각 대간판 퀸, 킹과의 직접 대결에 임하여 만신창이가 되면서도,
륭히 승리를 손에 거머쥐었다….

빅 맘 해적단

빅 맘
샬롯 링링 【 사황 】

'사황' 중 한 사람. 통칭 빅 맘.
수명을 뽑아내는 '소울소울 열매' 능력자.

[빅 맘 해적단 선장]

C • 페로스페로
[샬롯 가 장남]

와노쿠니 (쿠로즈미 가문)

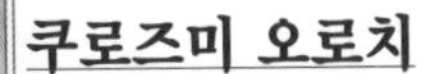

쿠로즈미 오로치

카이도와 손을 잡고 와노쿠니를 지배. 코즈키 가문에 원한이 있으며 교활하게 군다.

[와노쿠니 쇼군]

쿠로즈미 칸주로
[오로치 측 내통자]

X 드레이크
[전(前) 토비롯포]

백수 해적단을 이탈하고 루피와 공투(共鬪)로!

후쿠로쿠쥬
[전(前) '오니와반슈' 대장]

호테이
[전(前) '순찰조' 총장]

오로치 오니와반슈
[전(前) 와노쿠니 쇼군 직속 닌자 부대]

야마토[자칭 : 코즈키 오뎅]
[카이도의 딸]

다이후고

스피드

햄릿

포트릭스

브리스콜라

미제르카

포커

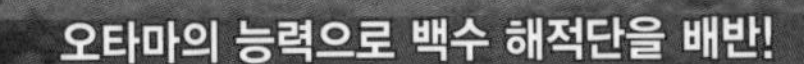

오타마의 능력으로 백수 해적단을 배반!

Story · 줄거리 ·

2년의 수행을 거치고, 샤본디 제도에서 재집결에 성공한 밀짚모자 일당. 그들은 어인섬을 거쳐 마침내 최후의 바다, '신세계'에 이른다!! 루피 일행은 모모노스케 측과 동맹을 맺고, '사황 카이도 격파'를 위해 와노쿠니에 상륙. 동지를 모아 오니가시마로 돌입한다!! 수적 열세인 일행은 기습을 꾀해 고전하지만, 사황 빅 맘과 카이도가

ONE PIECE
vol. 103
'해방의 전사'

CONTENTS

ONE PIECE vol.103

찾을지어다'

제1036화 '무사도(武士道)란 죽음에서

빠방!!!
………
……!!
헉…!!
하아…
하아….

……
……….
카…
카이도
씨…….
—아직도
그렇게
생각하는
거냐?
킹……!!

내가 '조이보이' 라고?!!
내가 만들려는 세상이
네가 바라는 세상이냐?! 워로로로.
—전설은 전설이다….
이제 와서 뭘 원하지는 않아…. 내 목숨은 당신에게 받은 거니까.
당신은 '최강'으로 있어 줘…!!

나도 지지 않아.
당신을 '해적왕'으로 만든다!!
커흑!!
………… ……!!
저자를 이기고 대검호가 되는 그날까지
하아, 하아.

절대로 두번 다시 난 지지 않을 거라구!!!!
불만 있나?
해적왕!!
히히히히!!
없어!!!
돼주겠단 말이다.

지옥의
왕이!!!
두웅!!
하아…
하아…!!

퍼엉!!
두웅!!
우뇌탑
돔 바깥의
싸움──
승자
조로

팍
팍
팍
팍
철썩!
'대간판'도,
'토비롯포'도
전멸이라니.
이건
웃어넘길
일이
아닌데.
…방금
킹이
패배를……!!
?!
정말인가…?!!
와
쿠쿠
우
띠리잉
……
…….

14

물론 아직…
그런 선전을
모두 무의미하게
만들 정도의
와아아아아아아아
괴물이
두 마리
남아
있지만…!!

이 결전에는 또 하나의 싸움이 있다.
루피가 카이도에게 승리함으로써 사라지는 '불꽃 구름'.
화약
불꽃 구름
오니가시마는 추락하고 지하의 화약으로 '꽃의 도읍'은 대폭발―.
아무것도 모른 채 불축제의 흥에 취한
가게 둘 수 없다~~~!!!
몇만 명의 민중의 목숨을 앗아간다!!

여기서 제2의 위기―.
오로치가 보낸 칸주로의 불타는 원념이
'오니가시마'의 공중 폭발을 노리고
지하로 향한다.
빠각빠각
불타는 원념
5
4
3
2
1
야마토
이를 쫓는 야마토!!
타다다

지하 무기고로 통하는 문
역시 있었네!!
쩌렁!!
NUMBERS
롯키(六鬼)
롯키가
지하로 가는 문을 막고 있어!!

후가~!!!

저 녀석을 쓰러트리고 열쇠를 빼앗아
문의 개폐 레버를 조작할 시간은 없어!!
부탁해, 후가!!
후~가!!

빠각 빠각 으쩍 으쩍
......!!

로게약 ―?!!
콰아
쾅
장창!!
로걐―!!
타닷!
해냈다!!
고마워, 후가!!
후가―!!
롯키를 막아줘!!
로로키키!!!

성안
2층 & 1층
지붕 밑
꼬아아악
~~~~.
아아아
아아악
~~~!!
푸콰
쫄지 마.
해치워.
아카자야
사무라이와
'밀짚모자
일당'이다.
아앙
'해골 폭발초'
~~~~!!
끄악
와
이제
글렀어―!!
나 죽어――
―――!!!
사방팔방
불꽃과
적들 천지!!!
우… 우솝 공,
소인은 됐으니
키쿠만이라도.
…아뇨,
킨 님….
소인은 이미
틀렸습…
좋아!!
둘은 두고
나만
도망치자!!
와아아아
아아아
2억짜리
목이다!!
빠
밤!!
……
…!!
그럼 난
뭐 하러
온 건데!!!
죽고 싶어
안달 난
사무라이
놈들아!!!
떳떳함
좋아하시네!!
책임지고 할복은
얼어 죽을.
니네
그 문화
나는 마음에
안 들어!!
꼬악―!!
두두두
두두두
~~~~

나는
콧물 질질
흘려서라도
'삶'에 매달릴
거다!!!
꼴사나워도!!
살아서!!
살아서!!
살아남아
왔기에
지금 살아있는
거라고!!!
……
…!!
우숩
공……!!
습격 가지고
만족하지 마,
바보들아!!
웅!!
끄아아악
~~~~!!
무리~~~!!
재이야
잉!!
그 말이
맞아!!!
파
야!!
엎드려!!
?!
끄아악
~~~~~
~~~~!!
으갸아악
~~~~~
~~~~!!!
!!!
~~~~

끄헉―!!
이봐, 왜… 저 녀석이 있지?!
전(前) 흰 수염 해적단 대장?!
이조다아!!!
라이브 플로어에 마르코도 있었어…. 어떻게 된 거야?!
타라랑…
으엇―!! 누구야?! 고마워――!!
쾅 와
…… 이조.
쩌렁!!!
살아라!! 너희가 정말로
'밀짚모자 루피'를 믿고 있다면!!
사
락…
!!
형님… 저는….
말하지 마라. 상처가 덧난다.
쌓인 이야기는 얼마든지 할 수 있어.
………
……!!

부탁한다!! '갓 우솝'!!
어—?! 나 알아?!
쑥쓰럽♡
붙들어 매!! 가자, 햄릿!!
그래!!
콰앙!!
성안 3층——
승부는 났다!!
'결박술'을 풀어라!! 라이조!!
하아… 하아….
네놈이 먼저 푸시지 ………!!
탁탁
쿠오오오오오오…!!

그러냐. 마음대로 해라. 운이 나빴군.
하아 하아
너의 '죽음'으로 내게 걸린 술법은 풀리겠지!!
네게 먼저 인화(引火) 했어.
소인은 오뎅 님의 가신!!
이런 건 뜨겁다고도 여기지 않는다!!
!!!

'보물전'
2층——
꿈인지
생시인지
……….
들썩
들썩
후쿠로쿠쥬, 늦다!!
어서 탈출하지 않으면
이 섬이 날아가.
들썩
들썩
나리……
왜
그러시옵니까?
아, 아니다…
아무 일도.
그렇지,
코무라사키!
그 곡을
켜다오!!
내가
좋아하는
그 곡.
네,
물론.

성안 지하
2층——
도망치자,
인비!!
이비비
~~!!
저 녀석들,
위험해!!!
끄악——!!

미안,
잔키!!
타다다
드레이크,
작별이다!!

콰지끈!!
탁!

빠밤!!

애먹었다
……!!
하아…
하아…
상당
하군….

와~
끄악~
아푸가
도망쳤다
…….
푸르르르!!

철컥!
니코 로빈은
붙잡았나……?
아직이다.
방해가
있어서.
서둘러.
이 성을
탈출해야 해.
설마…
'대간판'도
전멸했다!!
!!!
와아아아아앙
콰과앙…앙!!
만에 하나…
'신세대'가 승리하는
일이 생기면
와!
크르우…웅!!
키잉
엄청난 뉴스다.
그건 지금 전 세계에
벌어지는 사건에
와그악!
순풍을
안겨주는
격이겠지.
지금부터
몇 분 동안의
일은
시대를
가를 거다
………!!
……분명
그렇다만,

여기가
……
팍 팍
팍
인류의
한계이지
않나……?
웅!!
'고무고무'
우~~~
푸헥!!

'고무고무'
우…
흐긱!!
!!!

가아앙
'로크 건'!!!

털썩
끄으!!
윽!!
털썩…!
워로로로.
헉… 헉.
하아… 하아….

!!!

하하하
하하하
……!!
하아…
하아…
……!!

하아… 하아…
재밌어지는데?!!
하앙…
하앙…
두두웅!!
헉…
헉…
나도다!!!

(카나가와현 · 마마빳삐 씨)

D(독자) : **'SBS가 창피합니다!!!!'** P.N. 헤보

O(오다) : 으왓~~~~~~~!! '창~~~피~~~당~~~했~~~다~~~!!
지당한 소리!! 지당하기는 무슨 !!(눈물)

D : **오다 쌤, 가르쳐주세요. 오소메가 기르는 쥐 '츄지'는 상디가 어린 시기에 요리를 만들어줬던 쥐랑 판박이네요! 친척이나 뭐 그런 건가요?**
P.N. 프랑랜드

O : 용케 기억하고 계시는군요~. 쥐한테도 사랑받는다는 점에서, 상디의 심지 부분의 상냥함을 엿볼 수 있죠—.
친척은 아닙니다만, 그 시절의 쥐와 똑 닮은 아이가 상디를 좋아하고 따르는 것을 보며, 저는 상디가 제르마에 집어삼켜지지 않았구나 하고 안심했습니다.
다만, 몸에 발현된 '과학의 힘'은 상디를 더욱 강하게 만들었습니다.
나아가 스스로 '사라지는 힘'을 손에 넣었습니다만, 안심하시길 바랍니다. 그건 스피드에 의한 현상으로 목욕탕에서 쓸 수 있는 기술은 아닙니다(웃음).

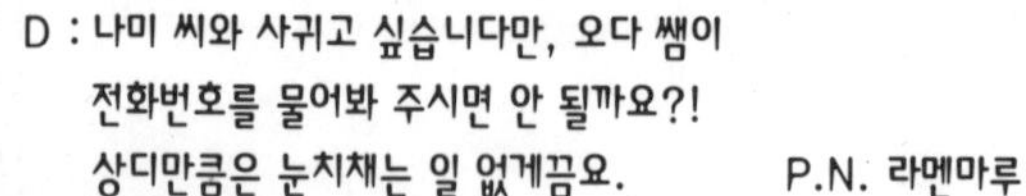
D : **나미 씨와 사귀고 싶습니다만, 오다 쌤이 전화번호를 물어봐 주시면 안 될까요?! 상디만큼은 눈치채는 일 없게끔요.** P.N. 라멘마루

O : 네. 7373-737373입니다. 스마트폰이 아니라 커다란 전보벌레를 사용해주세요!
최악의 경우, 역탐지한 상디가 그쪽으로 갈지도 모르겠지만요.

제 1037 화
'주룡팔괘'

제르마 66의 앗 무감정 해유기 Vol.2 '한숨 쉬는 저지'

와노쿠니
꽃의 도읍
너무
마신다!!
쿵챙♪ 쿵챙♪
바보야!!
1년 중 마실 수
있는 날이
오늘뿐이라고.
꺄하하하..!!
와하하 하
남은 건
고통뿐이
잖냐….
이런
나라에서
사는 거
……!!
안 그래?!
오로치이.
조용,
조용!!
어디에
관리가
있을 줄
알고….
쿵챙♪
쿵챙♪
시끌
시끌
축제도 곧
끝인가
…….
와
와
하늘배의
준비가
시작됐군
…….

돌아가신
선조분들께
소원을 적어
비는 거란다.
시끌
들어주실까?!
시끌
그럼.
분명히.
어머니를
보고 싶어
물을
주세
아이에게
지어줄 수
있기를
생선
고기
과일
강
건

도읍 부근
'오니가시마'
푸콰앙!!
!
하아, 하아….

꼴칵
꼴칵…
하아 하아…
왜 술 퍼마시는 건데, 너어!!!

푸핫
즐거우니까 ……!!
너도 마실 테냐? 오늘…
도읍에서는 '불축제'!!
오니가시마도 '대연회'인 날이다!!
너희가 엉망진창으로 만들어 놨다만!!! 후후후….

하아
하아
후히햐
하하햐!!
호호호!!
끄억
~~!!!
둥—
웅!!
술주정
부리기냐!!!

나한테
지더라도!!!
팔락
'취했었다'
같은 변명은
안 받아줘!!
후히히…
봐~보자식!!
워호호
호호호!!
일부러
약해지는
헛짓은
안 해….

너를
인정한
거다!!
흐끅.
워하하
하하하
하하하!!!
쐐
액!!
나와
작정하고
맞대결을
할 수 있는 놈이…
얼마 만인지!!
끄으~~~~~.
어이쿠♪
팟
'주룡팔괘(酒龍八卦)'!!!

쿵!!
'웃는
술주정'!!!
불
!
워로로!!
웅
두
'라그나
라크'!!!
으쩍으쩍으쩍으쩍!
!!!

돔 안 라이브 플로어
쿠구우…웅!!
으와아 아악!!
와
천장에 커다란 균열이!!
끄악―
성은 불난리지, 해골 돔도 위험해!!
우아아아악 ~~~~!!
아악 ~~!!!
끄아아아아악
즐겁기는 하다만……!!
성이나 이 섬이나 반파 상태……!!
쓸모 짝이 없어졌다~~.
후둘
젠장할~~. 성 하나 지켜내지 못하다니….
직통으로 맞았어 ~~~!!!
저 자식―!!!
재건해야 하나…!!
짓는 데 5년이나 걸렸단 말이다…!!
끄으 ~~~.
울컥한 술주정
펑!!

방심한 건 나잖아!!
하아, 하아….
타앙!!
난 열심히 했다구~~….
흐끅.
끄으~~~.
하지만… 이제
글러 먹은 걸지도 모르겠군 ~~….

'용오름 괴풍'!!!
확!!
쿠
쐐이 이잉!!
으엇!!!

큭.
기이잉!!
서걱!!

다가오지 마라 ……!!
으허~~헝.
좀 내버려 두란 말이다, 바보 녀석아!!
우는 술주정
떠렁!!

으허어허헝!!
…흐끅!!
끈덕진
놈한테는
이거다!!
'뇌'!!
'명'
하아…
하아….
껄끄럽네….
'팔'
콰
앙!!

이힛!!
받아라!!

퍼엉!!
콰앙!!

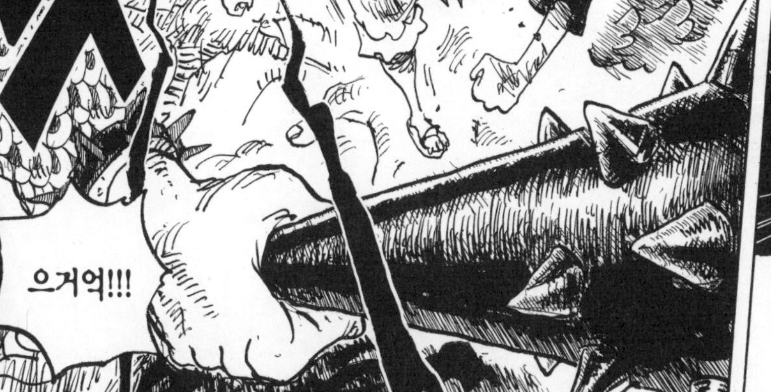
주정뱅이!!
으거억!!!

파딱!!
턴
덥..
으앗!!
으허헝!!
꽈악!!
……
…!!
빠가아앙!!

끼끼끼 끽…!!

으악!!
패기가
강해졌어…!!

……
흐읍!!
……
모처럼의
술기운이…!!
끄으
~~.

달아나게
생겼잖냐!!
화내는
술주정

푸콰아앙
하아, 하아.
'고무 고무'…
!
쉬아
'로크' ……!!!
쉬아 쉬아
팽글 팽글
'군다리(軍荼利)'!!
'개틀링' !!!!

'용성군
(龍盛軍)'!!!

빠직!!
두왕!!

우오오
오오오!!!
두두두두두
아아아아
~~~!!!
콰콰콰콰콰쾅!!

쿠확!!
카아앙!!
~~~

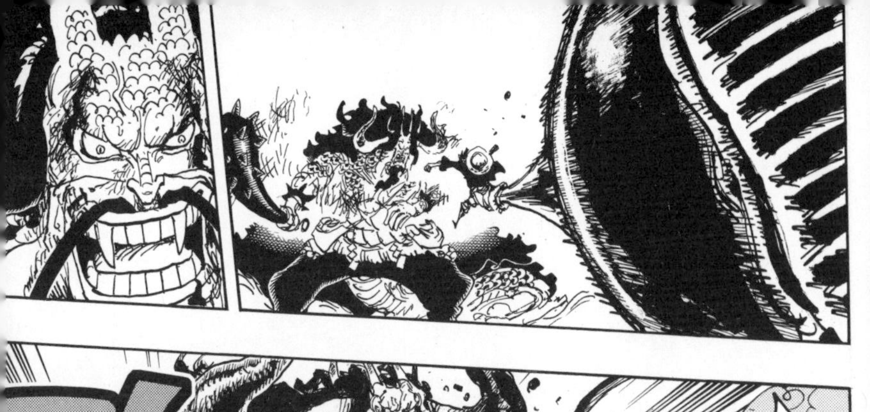

!!!
콰아앙!!!
우어억!!!

'레드 라인' 성지 마리조아
올해의 '레벨리'는…… 저주받았군.
—그 건은 제쳐 둬.
두웅!!
당장 급한 건 '와노쿠니'다.
이만한 싸움이 되리라고 그 누가 상상했나.
손을 쓰려면 지금이야…. 니코 로빈은 이제 붙잡았을 즈음이겠지.
카이도와 빅 맘의 싸움이라면
누가 죽어도 부자연스럽지 않아…!! 제거해야 마땅해.
FIVE ELDERS
세계최고권력 오로성

와노쿠니 근해—
전 함대 그대로 대기다….
쿠쿠오…오…
저기…
왜 그러지?
펄럭

아뇨…. 뭔가 거대한 그림자가….
뭔가?
모르겠습니다.
섬?

아니…, 터무니없어!! 어느덧 그 열매는 우리에게도 전설이야.
과거 몇백 년이나 '각성'하는 일은 없었다.
—그럼 왜 '세계정부'는…!!
구태여 그 '악마의 열매'에 또 하나의 이름을 부여했지?!

역사로부터 그 열매의 이름을
지우기 위해서잖냐!!
——.
——!!
두
웅!!

(토치기현 · 부장 스케 씨)

D : 오다 선생님, 안녕하세요!! 1032화에서 야마토와 후가가 친근하게 대화를 나누고 있습니다만, 둘은 언제부터 사이가 가까워진 건가요?

P.N. 류노스케

O : 이건 몇 번이나 그려보려고 시도했습니다만,
너무 많은 전국(戰局) 때문에 차마 그릴 수 없었어요.
후가는 보면 아시다시피 '말 능력자'입니다.
이건 사실 배가 고플 때, 카이도의 방에서
SMILE을 훔쳐 먹은 결과거든요(웃음).
카이도는 화가 나서 후가를 옥에 가두지,
다른 넘버즈들은 이상한 다리라고 놀려대지,
처량한 꼴이 돼 울고 있는 후가에게 야마토가 말을 건넵니다.
'그 다리 멋있는데!!'
그때부터 후가와 야마토는 친해지게 되었습니다.

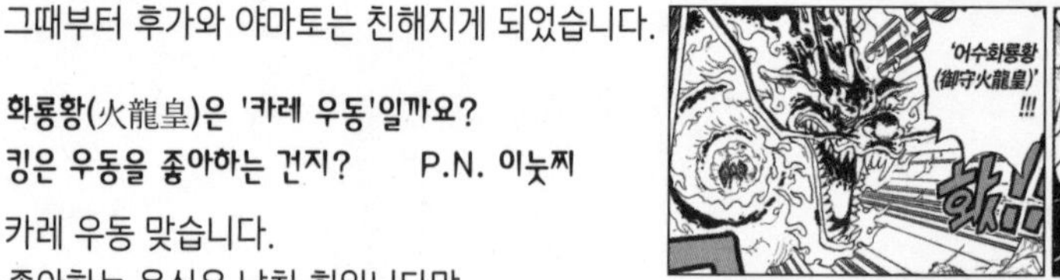

D : 화룡황(火龍皇)은 '카레 우동'일까요? 킹은 우동을 좋아하는 건지? **P.N. 이눗찌**

O : 카레 우동 맞습니다.
좋아하는 음식은 날치 회입니다만,
카레 우동은 맛있으니까요!

*화룡황(かりゅうどん)의 일본어 발음은 '카류우돈'으로 '카레 우동'과 발음이 비슷하다.

D : 오다 선생님, 안녕하세요! 모모노스케는 8살인데, 왜 저렇게 색골인 걸까요? 오다 선생님도 그런가요? **P.N. 유우 군**

O : 소년은 몇 살부터 에로한 것인가에 대한 질문.
저 이건 말이죠, 그냥 밝히지 않으려고 해요!
그야 이걸 공표했다간 그들이 '특권'을 쓸 수 없게 되니까!!
괜찮아, 소년들이여! 나는 입을 열지 않겠어!!

제 1038 화
'키드 & 로 vs. 빅 맘'

제르마 66의 앗 무감정 해유기 Vol.3 '카카오 섬, 쇼콜라 타운에 붙잡힌 니디 & 욘디'

성안
3층——
……!!
후두두둑…!!
불이…!!!
퍼렁!!

술법을
풀어라,
라이조!!
탁탁
탁탁
이러다
둘 다
죽어!!
쿠오오오오오!!
하아…!!
하아…!!

하아…!!
하아…!!
성안
2층——
와아아아아
막다른 데야.
도망칠 수
없어!!!
성 밖으로
——!!!
쨍그랑!!
!!

쩌적
쩌적..
천장이
무너진다아!!!
꺄
아
아아
쩌적..
끄아아악
~~~!!!
후두두둑.
엉?!
멈칫..

!!!
두웅!!
당신,
'밀짚모자
일당'의…!!!
아직
있었나.
어서 성을
나가게!!!
하아,
하아….

헉… 헉…!!
불이 어쩌다
이렇게나 번졌지?!
콰과앙…
와
싸우다
죽는 것은
둘째치고!!
크구웅
쏴악
와
화재로
불탄 시체가
대량으로
나오겠군!!!
~~~

라이브 플로어──
빅 맘에게 다가가지 마!!
푸콰아앙!!
와
저것들의 싸움에서 벗어나!!
으엇~~!!
쵸파 선생님?!
끄악
오, 무엇이지?!
오오?!
와앗!!
꺄악─!!
다행이다, 몬스터의 리스크가!!
하아… 하아….
돌아왔어!! 작고 약해지는 게 부작용인가.
그보다……!!
미야기!! 나, 조로가 걱정이야!!
네…, '약' 말이군요.
와
끄악
조로는 잠깐의 '초회복'과 맞바꿔서……!!
나중에 '곱절'의 대미지가 올 거잖아……?! 싸움은 이겼을까.
콰과아앙
움직이지 못할 정도의 중상… 그 '2배'라니…!!!

조로… 죽지 않겠지?!!
와아아아아아
하아, 하아….
………
……!!
와아아아아아
쿠구우…웅
누구냐, 네놈.
……!! 뭐야… 몸이
움직이질 않아……!!
쿠구구…
멈춰…… 그만 둬!!!

돔 내부 '우뇌탑'
조로
프랑키
비켜—!!!
으와 아악!!
조로 녀석, 어디까지 간 거지?!

성안 1층 천장 밑
제길… 흰 수염 쪽
대장이 …!!
쿠오오오오…!!
애송이들한테 ……… 가담할 줄은…!!
두
웅!!
성안 지하 1층
팟!!
우오오오오…!!
터엉!!
윽!!
뚜욱 뚜욱…!!

하아… 하아. 여럿이 덤빈 나머지 실수했군….
썩어도 '백수 해적단' 인가……!!
하아… 하아…
키쿠…… 킨에몬…. 잘 탈출했다면 좋겠건만….
팟!!
!!

와!
빠방!!
……
…….
사이퍼
폴…!!

………맞다.
이지스 '제로'다.
있다는 건
알았다만……!!

와아아아
!
이조…,
만나지
않은 것으로
하지.
입장상…
역사적인
죄를
저지른
흰 수염의
잔당을
내버려둘 순
없지만…
……
…….
콰과아앙
지금
우리의 용무는
밀짚모자 일당
뿐이다….

…또
어딘가에서
보자고….
……
…….
저벅
저벅
아니…
기다려….
?!!
철컥!!
'CP0'.

성안 지하
'무기고'
야마토

안 늦기를!!
안 늦기를!!

하아.
하아.
다다다
다다

찾았다
~~~!!!

으앗—!!
안 돼,
안 돼!!!
웅!!

'무시빙야'!!!
~~~

쿠구…
구구…
부탁이야, 제발!!
두
쩌저어엉!
하아… 하아….
이 정도 양의 화약이 폭발했다간
전부 끝장나!!

치익~!!

다다다
화약 건드리지 마!!!
치이一잇!!!

'마환인(馬幻刃)'!!!
푸슈
ㅇㅇㅇㅇㅇㅇ.
웅!!!

오로치 님…!!
화륵!!
으와아 아악!!!
손?!

라이브 플로어
그만해, 빅 맘!!
두콰아앙!!
두콰아앙!!
두목네는 이미 움직이지 못하는데!!
그 이상 당하면
콰지끈!!
진짜 죽는다고 ──!!
퍼어엉!!
제발 좀 봐줘 ~~~~!!

흥!! 부하에게 동정이나 받고…
하아… 하아….
캡틴!!
체면이 말이 아니잖아, 너희들!!
마~~~마 마마마 하하핫……!!
두목 ~~!!!
두두웅!!

두웅!!

두웅!!

하아
하아
하아—
하아….

우오오오
두목!!!
정신
바짝 차려!!
숨은
붙어있지?!

의료반!!
캡틴을
구해!!!

시끄러워어
~~~~!!
여기는
전장이다,
이 쓰레기들!!!
'천만
대자재
천신'!!!
콰
콰
콰콰
콰콰콰
쾅
으아
아아앗.
끄아아악!!!
~~~~

하아, 하아.
——어디 보자, 카이도의 전투는
후욱 후욱…!
와…!
아직 안 끝났군.
헉— 헉—.
끄악—!
설마 아직 그 밀짚모자 꼬맹이 하나랑
와아아아아아아아아…!!

노닥거리는 건 아니겠지, 카이도.
헉, 헉—.
헤라!! 가자, 옥상으로!!
네, 마마.
나도 이제 지쳤어.
단숨에 끝낸다!!!

펑
'K·ROOM (크롬)'.
하아… 하아….
'애너스시저 (마취)'.
결판을 보자!!!

콰
!!!!
!!
으와아악—!!!
마마——!!
와
끄악
빅 맘이 죽었다~~~!!!
트랑이!!
뭐지, 저 커다란 칼!!
하아… 하아. 아까 그것도 통했을 거다.
관통에 고통은 없지. …다만.
멈춰, 이건……!!!

'쇼크 빌레'!!!!
쿼
아앙!!
끄웩
~~!!!

응?! 뭐지?!
끄악
끌려………!!
감히 마마를 ~~~!!
쿠구-웅!!
!!!

간다
—!!!
잡소리
많은
철골들,
철컥!!
으악
—!!
내 자력에
복종해라!!!
철컹!!

아직
일어서는
거냐…?!!
키드으!!!

헉—
헉—.
철컹!!
철컹
………
……!!
내 목이
어지간히
탐나는가 보군,
애송이들….
하하하….
지금은 왠지
다른 목적으로
움직이는
기분이다….

'펑크
코르나
디오'!!!

윗쪽의
카이도도
슬슬 때가
됐겠지.
노(No)
대미지?
그런
물체는
시간을 들이면
물방울은
돌조차
깎아낸다.
이 세상에
존재하지
않는다고!!
하아,
하아.

커다란
소!!
거대화
빅 맘보다
더 커!!
콰장창!!
후두둑…!!
이보셔…!!
잘 들어,
할망구!!

!!!
끄억
~~!!
두두웅!!
옥상에는
죽어도
못 보내!!!

제1039화 '막바지'

와노쿠니 상공―
쿠구
뒤로……!! 가고 있소.
하아― 하아―.
쿵챙♪ 쿵챙♪
가고 있네…!!
도읍에서 조금이라도 멀리…!!
쿠구우…
이딴 걸…!! 도읍에 떨어지도록
……!! 둘 거 같으냐아~~ ~~~~~!!!
!
응? 누가 불렀나?
하아… 하아….

오니가시마 돔 내부 '라이브 플로어'―
으와악 ~~~ ~~~!!
와아 아아 아아아아
빅 맘이 날아가 버렸어어!!!
두웅!!

설마 당하진 않겠지, 빅 맘!!
와 꺄
부탁이야. 그깟 녀석들!!
우오오오
키드 두목~~~!!
캡틴!!
와아아아

……
우웩!!
콜럭!!
하아, 하아….
통하기 시작하네, 망할 할망구!!
팍!
헉 헉
어이… 유스타스…!! 두 번째다!!

내 큰 기술 후에… 요란한 공격으로 승자감을 만끽하다니………!!
?!
와아아
아~아
난 네놈의 들러리가 아니다!!
아무렴 뭐 어떠냐!!! 시답잖은 소리 집어치워!!!

그렇게 말할 거면 다음에는 네가 먼저 해라.
와
큰 타격을 줘봐! 마무리는 내가 할 테니.
나한테 명령질하지 마!!!
내 비장의 패야말로 할망구를 처치할 일격이다!!
호오… 소 다음은… 하마냐? 아니면 코끼리?
닥쳐!! 네놈한테 패를 깔 거 같냐!!
덜컹…
후두둑
!!!
봐, 빅 맘의 뼈가!!
내부로부터의 충격파….
갈비뼈도 나갔나 ……!!!
트라팔가의 기술은 위험하군 ………!!
스륵…

목숨을 주마. 되살아나라!! 뼈들아~~!!
펑!
두우웅!!
네, 마마~~♡
네, 마마~~♡
마~~~ 마마마 하하하!!!

농담기 빼고
말해둔다….
하아… 하아….
다음
라운드로
나는 체력
고갈이야…!!!
와
끄악
다음이
내 마지막
공격…!!
절대
빗맞히지
않아
……!!
그러니까
너는…
나한테
지시하지
말라고 방금
말했거든?!
프로메테우스!!
나폴레옹!!
헤라!!
가자!!!
네—에.
마마!!!
'메이저
사벨'!!!
!!!
으와악!!!
서걱!!

하아,
하아.
……
…!!
애송이들!!!
마마마마,
소용없는 건
너희지.
소용없다!!
애초에
쇳조각!!
꿈꾸는
시간은
끝이라구.
너희 같은
놈들을
몇백 명이나
바다에
가라앉혀 왔다.
파삭!!
몇십 년이나
'군림'하고
있다.
우리는!!!
네놈들이
…!!
우유나
마시던
시절부터어!!!

'N'!!!
빠방!!
'S'!!!
?!
빠방!!
'어사인
(부여)'!!
치이잉!!!
으읍~~?!!
아…!!!
부웅!!
마마,
피해~~!!
안 떨어져어
~~~~!!!
아…
~~~~

콰
으쩍 으쩍
으랴압!!!
장창
푸콰앙!!
끄느읍~~!!

후두둑
엑~~~
~~~?!!
탑째로
일어섰어어
~~~~!!!
엉망진창
이군…!!

너어,
뭘 짊어지게
만들고
자빠졌냐.
쿠구구
후두둑
!!
'모방포
(母訪砲)'!!!

'미'이
'저'~~
도망쳐
~~~!!
와아아아
'리'이
~~~!!!
앙…

어엇?!
움직이잖아?!!
끄악.
공격이…
살아있다니
~~~~~
~~~~?!!
두콰!! 프쾅!
마마마
하~~~
하하!!!
헉—…
헉—….
해치워라,
미저리——!!
애송이들을
……
!!!
두 웅!!
응?
'택트'.
와
E A T
휘익!

콰아앙!!
드콰콰
끄아악
~~~!!!
아아아
아악~~.
하아,
하아….
와아아아아
~~~

슝!!
!!!
쿠
또오냐 아아~~ ~~~!!!
스
트라팔가 ~~~~~ ~~~~!!!

지하 무기고
—
!!
지잉…!!

저건 뭐지?!!

와노쿠니 상공 '오니가시마'
두
웅!!
지지지…

배짱 한번 좋구나!!
안 떨어질 참이냐?!
빠악!!
콰앙!!
빠악!!
트라팔가!!!
……
…!!
으악—, 캡틴!!
꺄아앙

쿡 ㅋ ㅋ
아직이다 …!!

콰앙!!
더 깊게!!
두펑!!

왜 그러지?!
빠악!!
……
…!!
이미 숨이 끊어졌나?!
콰앙!!

뭐 하고 있어요?! 캡틴.
콰앙!!
빠악!!
벗어나요——!! 그러다 죽겠어~~~!!!

콰앙
하아.
빠악!!
하아.

'펑크처'

허?!
그만…

'빌레'
!!!!
뿌에엑~~
~~~~!!!
!!!!
두
웅!!
~~~~

쿠구
구우…
쿵 챙♪
와하하하♪
빠 방!!
쿨럭…!!
쿨럭!!
우웨~~
~~엑!!!!
그 녀석을
태워죽여라,
'미저리'!!
네,
마마!!!
하아.
하아.
!!
엑──?!
무엇이외까?!!
저 커다란
구멍!!
후두둑
뭐지?!
저 구멍은!!

해치워!
하아, 하아.
유스타스!!!
?!
빠
밤
앙?! 저건 또 뭐야!!!
몇 번을 말하냐!!
트라팔가…!!!
나한테 명령질하지 마!!!
파직~
파직…!!
네놈드을!!!

파직
파직
파직
어디 덤벼봐라!!! 이것들아아!!!
쓰러트릴 수 있겠냐?!!
나는 '빅 맘' 이다!!!!
그러니까 없애는 거야…!!!
!!!

'댐드 펑크'!!!
오오오 오오오!!!
쩌적
쩌적...
빠각!!
너희의 시대는
끝이다!!!

질문코너 SBS

(이시카와 현 · I♡OP 씨)

D : 23년간!! 기다리시게 해서!!!
면목 없습니다!!!
지금, 콜라 사 왔습니다!!!
엑··· 뭐라고요? 또 그러시네~.
9권 SBS에서 콜라 마시고 싶다고
말씀하셨잖아요~.
사두기는 했는데, 전해드리는 걸
깜빡하고 있었어요.
자, 여기요!! P.N. 후카다 코코로

O : 엑~~~~~~~~~~~~?!!
진짜네. ...고... 고마워.
그런데 찾아보니까 콜라 유통기한은
반년 정도라는데.... 아니...!! 마셔야 해!! 좋아!! 푸쉭! 꿀꺽꿀꺽꿀꺽
부왁!! 털썩···

D : '노부나가는 울지 않으면 죽여버리는 사람이고, 히데요시는 울지 않으면 울게끔 만드는 사람이고, 이에야스는 울지 않으면 울 때까지 기다리는 사람이다.' 천하를 풍미한 자들의 삶의 방식을 표현한 글입니다. 선생님은 어떠신가요?

O : 에이치로는 울지 않으면 콜라를 사오는 사람이다.
의미 : '지금 난 콜라가 마시고 싶다.'는 뜻. (다이어트 콜라 말고)

D : 요전에 본 영어 단어장에서 'snatch'라는
단어에는 '(승리 따위를) 잡아채다'는
의미가 있다고 쓰여 있었습니다.
사무라이들의 '스내치'와 관련성을 생각해보지
않을 수가 없었는데 말입니다,
말이 나온 김에 어떤 관계일까요? P.N. 야시라이

O : 네, 음~ 이건 표면적인 영어 쪽에도
여러 쓰임새가 있는 거 같기는 합니다만.
사츠마 번의 지겐류(示現流)라는 검술에 '체스토'라는 기합 소리가 있는데,
뜻에는 여러 가지 설이 있습니다만, '지혜를 버려라'라는 말이
'체스토'로 변했다는 이야기가 저는 좋더라구요.
머리를 텅 비우고 상대에게 뛰어들라는 의미입니다.
그대로 썼다간 세계관이 이상해지니까 '지혜도, 이름도 버려라'
그런 결사의 기합 소리로써 '스내치'라는 단어로 만들어봤습니다.

제 1040 화
'애송이 귀에 염불'

제르마 66의 앗 무감정 해유기 Vol.4 '과학이 통하지 않는 생물'

현 위치
크크크
크크크크크
오오오
오오!!!
빠각 빠각 빠각
두웅!!

크크
씨익!!
크
크크
크크
!!!
팍직 팍직 팍직
오오오!!!
이봐아,
애송이드을
~~~~~!!
?!
~~~~~

엑~~~?!!
날아가질
않잖아!!!
저걸로도
쓰러지지 않는
거야아~~?!!
꺄아아아아악
빠각 빠각
거짓말이지?
버티고 있어
~~~~!!!
이미 둘은
한계라고!!
으와아악
선택해라!!!
이걸 내가
튕겨낸 순간
오오…!!
너희들의 '운명'을
말이다아
~~~~!!!
!!!
'50년 치 수명을
내놓는다'인지!!
'살아서 나의 노예가
된다'인지!!!
…….

'LIFE'
or
'SLAVE'!!!
으악ㅡ
소울
포커스다
~~~!!
와아아아아아
바들
바들
두우웅!!
~~~

두목, 여기서 벗어나는 편이!!
…….
끄악
와
컥!!
뽀골 뽀골
끄악── 우리까지 수명을 뺏긴다~~~~!!
뽀골 뽀골

다 죽어가는 생물의 박력이 아냐!!!
쿠구구구구 구구
끄악
무셔~~ ~~~!!!

캡틴, 멀리 도망쳐…!!
어?!!
쿠구구 쿠구
너희는 그렇게 해.
꺄
?!!

죽을 때 다 된 할망구의 염불에
이제 와서 겁먹으란 말이냐.
끄악
두웅!!
'R · ROOM (리룸)'.
네 단말마의 외침은… 필시 귀에 거슬리겠지…!!!
와—!!
두웅!!
둘 다 1초도 '수명'을 빼앗기질 않아!!!
구구구
와
끄악
'사황'에게 티끌만큼도 공포가 없는 건가?!
드륵

지금 구해줄게, 마마~~!!!
내 은인이라면 이렇게 했겠지.
펑!

깨끗이 단념할 줄 모르는 '황제'구만…!!!
도와주마, 네 지옥행을!!!
파직
파직

조───...웅
?!!
'사일런트 (고요)'!!
부웅!!
'댐드 펑크'!!!
어?! '소리'가 사라졌다!!
'네 영향으로 생기는 소리는 전부 사라지는 수술'이다.
!!
뭐지?! 소리가 안 나와.
!!!
마마 ~~!!!
안 들리는걸….
캡틴, 뒤!!
철커엉
추격

드
웅!!

마마
~~!!!
끄아아악
~~~~!!!
프로메테우스!!
헤라!!
뭐 하고 있어.
구하러 와라!!
——
——!!
빅 맘?!!
에엑?!
왜 소리가
안 나지?!
~~~~

———
———!!
닿는 것
모두 소리가
안 나!!
!!!
!!!
으와악,
멈춰~~~!!!
유폭하겠어!!!
오오
오오
오로치
……
비실…
님….

어—?!
와아아아아아아아아아아!!
!!!
꺄악
아아,
젠장….
애초에
말이야….
세계는
감쪽같이
네 말에
넘어갔다.
쿨럭.
이봐,
로저.
너
왜 그런 말을
꺼낸 거냐?!
상대
하는
건

쿠구우
'대해적 시대'?!
너는 죽으니까 상관없지만!!

온 세계에 이름을 떨치는 애송이들을

쿠구우...
우리라고!!!
퍄콰아앙!!

띠
리디잉!♪
가르쳐주고서 죽든가!! '원피스'!!
까악.
있기는 한 거 맞지?!!
으어~~~~!!

끄아아악!!!

아아악, 물~~!!!
....
.......!!
물~~~~~~!!!

'사황'
빅 맘
VS
신세대
뭐가
있는데?!
어디에
있어?!!
――――
――――!!!
이 나라에도
있는 거지?
아아,
분해라!!
키드!!
로!!
――
―!!!
그 녀석들,
용서 못 해
…!!!
내가
이까짓
걸로!!
죽으리라
생각 마라아!!!

해골 돔 내부
'라이브 플로어의
싸움'──
승자
쿵챙♪
쿵챙♪
꺄하하하
와하하하
'유스타스
'캡틴' 키드'!!
및
"죽음의 외과의'
트라팔가 로'!!!

와아아아아아
아아아아아아아
두웅!!
두웅!!

빅 맘을 이겼다아 ——!!!
와아아아아아아
사건이다!!! 대사건이야아 ~~~~!!!
……
…….

두목~~!!
와아아
캡틴!!
으허어어엉

야마토가 아닌가—!!
모모노스케 군!!
와아아아아!!
그곳이 지하실인가?! 어쩌다 휑하니?!
그렇게 됐어!! 폭탄 하나로 '섬'이 날아가 버렸거든!!
어떻게든 냉기로 굳혀서
무기고 통째로 대폭발하는 건 피했지만.
빠밤!!
그대가 무사해서 다행이오!!
소인은 손을 뗄 수가 없기에!!
그대로 들어주시오!!
?!
'즈니샤'가 ……!!
근처에 와 있소이다!!!
어…? 오뎅의 일지에 쓰여 있던 조…?!

맞소!! 800년 전 죄를 저지른
조이보이의 동료이외다!!!
쩌렁!!

(도쿄부 · 히토미 리나 씨)

D : 오다 쌤!
수고 많으십니다!!
저는 대간판, 토비롯포
이 9명의 어린 시절이
어땠는지가 궁금해서,
야마토의 피규어 조립을 도저히 못 하겠어요!
괜찮다면 부디 그려주세요. 부탁드립니다! P.N. 셋쵸

O : 야마토 피규어를 조립 못 하는 건 안타까운 일이네요. 알겠어요.
드레이크는 전에 그렸으니까 없어요—.

제 1041 화
'코무라사키'

제르마 66의 앗 무감정 해유기 Vol.5 '상디 씨를 괴롭힌 놈에게 '푸딩 펀치'!'

'즈니샤'와는 좀 전에 잠시 이야기했으나
정작 중요한 걸 모르겠소.
모모노스케…!!!
네 명령을 기다리고 있다…!!

너와 함께
싸우기 위해…!!
찾아왔다!!
쿠구구
오오…
——!!
——!!
대단해!! 모모노스케 군!! 역시 조와 이야기할 수 있구나?!!
오뎅의 예상이 맞았어!! 네가 바로 세계를 새벽으로 이끌 존재야!!

아버님의 일지를 읽고…
와아아아아아
후두둑…
소인이 죽어서는 안 된다는 것은 알았소.
하지만 아버지는!!
가장 중요한 페이지를 스스로
찢어버렸다오!!
로저 일행이나 아버지는 마지막 섬에서 무얼 보고 웃은 게요?!
정작 그 목적을 모르겠소!!
아버지는 예언자가 아니오!! 지금 여기 있어도
'개국하라'라며 똑같이 말씀하시었을지?!
소인은 머리가 나쁘기에!!
'와노쿠니' 사람들이 위험에 처한다면
'개국' 따위 하고 싶지 않소!!!
소인은 겁쟁이인가?! 야마토!!!
!!!

성안
3층——
두웅!!
연락
통로의
싸움——
푸하아——!!!

승자
앗뜨!!
뜨…!!
뜨겁지
않다!!!
라이조!!
끄아아아아악
뜨겁지
않아!!!
데굴
데굴

헉— 헉—.
…닌자에게도
…자유가 있어도
되는 시대다…
후쿠로쿠쥬.
!!!
여보게!!
사무라이인가!!!
왜 도망치지 않나?!
…그대는
루피
공의…!!
하아… 하아….
서…
서둘러야…!!!
불찰이다…!!
'준비'는…
되어
있었건만…!!
쿠오오

보물전 2층──
쿠쿠쿠우…웅
으와악─!!
후쿠로쿠쥬 ──!! 그 쓰레기 닌자!!
뭘 하고 있는 게야 ───!!!

설마 혼자 달아난 건 아니겠지.
방금 그 진동은 칸주로인가…?!
헉헉
이걸로 끝나면 좋으련만…
삐잉 삐잉 삐잉 삐잉 삐리딩
삐잉 삐잉 삐잉 삐잉 삐리딩
?!!
이봐, 코무라사키!!
이런 때에 무슨 연주 같은 걸 하나!!
그만 됐다. 연주를 멈춰!!!
여봐란듯이 가면이나 쓰고!!
삐잉 삐디잉 삐잉 띠딩
……
…….
죽느냐 사느냐인 이때마저!!
그 가면을 항상 쓰고 있었지!! 벗어라!!
너 정녕 코무라사키인가?! 죽었을 터이거늘. '망령'인가?!!
삐잉 삐잉 삐잉
와르르
응?!

후둑
후두둑
끄아아아
아아악!!
와르르르
콰장차아앙!!
쿠구구구

후두둑…
…응?!
뭐냐….
변신이
아니 돼
……!!
빠져나가지
못하겠다
……!!
헉…
헉….
망할….
당황한
나머지…
눈치를 못 채신
모양이로군요….
빠밤!!
………!!

쿨럭…!! 어엉?!
이봐, 코무라사키.
뭘 가만히 보고만
있나…?!!
잔해
더미를
치워라!!
당신이 괴물로
변신 못 하도록
'해루석' 못을 박은 건
바로 소녀이옵니다….
허?! 어째서!!
무슨 소릴
하는 게야
………!!
너는 나를
좋아하잖느냐?!!
좋아하다니
가소롭군요….
호의는 눈곱만큼도
없습니다.
?!!
띠리잉…♪

....
흐에…?!!
기이하게도… 당신이 좋아하는 노래
'달 공주'는
띠딩!
히요리!! 나는 그 곡이 좋구나!!
삐리잉
정말? '달 공주'라고 해!
더 잘 연주할게!
삐리잉!
삐잉
저의 아비
'코즈키 오뎅'이 사랑한 곡이었사옵니다.
삐리잉
!!!
삐리잉!!

....
.......?!!
아비?!
어찌 미소를 지을 수 있겠습니까.

성안
지하――
살아남거라.
쿨럭
키쿠!!!

!!!
드
우
웅!!

콰당타아앙!!!
……
…!!

아뿔싸……!! 네 이놈, 이조!!
마하!!
처음부터 맞찌르기 할 요량이었나.
제길!!!
두웅!!
왜 '흰 수염'의 잔당이
애송이들을 돕지?!! ………!!
서둘러 니코 로빈을 ………

푸르르르…
하아… 하아….
………!! 뭐야, 이번엔 또!!
—이봐, 잘 들어라.
'오로성'이 내린 '칙령'이다.
?!
'오로성'이 …?!

지금 당장 '밀짚모자 루피'를 제거하라고!!
?!!
와아아아아아아아…!!
무슨 헛소리야. '밀짚모자'라면 지금 카이도와 싸우고 있다!!
카이도의 싸움을 방해하란 건가?! 불가능해.
불가능은 익히 알고 하는 이야기다.
후두둑
하아… 하아….
세계 톱 클래스의 싸움이기에 따르는 위험….
하아… 하아….
헤아려라…. 만일을 대비한 명령이다.
헉 헉
빈손으로 죽을쏘냐……!!!

우리 역시 소문으로밖에 모르지만……
빠득…
그 일당이 대체 뭐길래.
성안 지하
도망칠 곳이 없어!! 성 전체가 불타고 있다ㅡ!!!
와아아아아아아!!

죽게 두지 않을 거거든?!!
정신 바짝 차리라고!!
출구를 찾아, 햄릿!!
성이 무너지겠어!!
맡겨달라구, 형씨!!

완다, 캐럿. 돔 안으로!!
네!!
언제 추락할지 모르는 기래.
괜찮은 거 맞나, 이 섬.

야, 살아있는 거지?!
조로?!
죽은 거 아니지?!

돔 안
전두(前頭)
플로어
'백수의 탕'
해치웠다 ~~~!!!
와아아아아아아아!
굉장한 충격과 소란인걸!!
트랑이네 쪽이 빅 맘을 쓰러트린 거야………!!
성에 난 불은…?! 우솝네는 무사할까?!
마마…!!!
제우스! 너 빅 맘이랑 나, 어느 쪽이 중요해?
와악—. 나미야, 나미!!
비비마루, 코마치요!! 훌륭히 잘 했시야요.
에~~에!
괜찮아. 그보다 떨어지는 천장을 조심해!
주인님, 제 곁으로!!
마지막까지 긴장 풀지 마. 여기는 아직 현장이고,
세계에서 가장 위험한 섬이라고!!

와아아아아아아아아아아아아아!!
빅 맘이 패배했다 ~~~!!!
두목 ~~~!!
캡틴!!!
두웅!!

푸
콰아…앙!!
으와악!!
하아…
하아….
대비해 보실까…?
카이도를 …!!
헉, 헉. 아니… 됐어…….
와아아아아아 아아아
털썩…
내려오는 게 ……
카이도라면 ……
쿠구구구…
쿠구우…웅
난 더 이상 …………
저항할 기력이 없거든….
추콰아앙!!
!!!

차자작..!!
하아,
하아…!!
어이,
눈치챘나?!
저질렀군,
그놈들……!!!
끄으~~~.

링링이!!
팍
직
팍
직
팍
직
당했다아
~~~~!!!
화!!!
으앗!!

뽀족이네가…!!
대단한걸.
하아…
하아.

하아…
하아….
입은
달려있나?
여보세요~~?
말할 줄 몰라?
헉!
헉!
마~~마마
하하하!!
나이는?
……
…!!
~~~~

15~~~?!
젊네!!!
록스와 한패가 된 건 처음인가?

형편없는 남자니까 신용은 하지 마.
무슨 일 있으면 나한테 말해!!

나는 링링!!
이 바다의 왕이 될 여자다!!!
두웅

잘 부탁해!!
생각해보면…
하아.
하아.
질긴 인연이었다, 할망구…!!
헉.

'원피스'를 차지하러 가자고
같이 맹세한 참이건만 ~~~~!!!
우는 술주정

쌔액

?!!
'기어 4'
'스네이크맨'!!
'고무고무'
'히드라'!!!!
헉…
헉.
너희
야망 따위는
상관없어!!!
그것 때문에
또
이 나라 녀석들이
밥을 못 먹게
되잖아?!
이게
내 마지막
'기어 4'다!!!
내 힘이
다할 때까지
공격을 멈추지
않아!!!
………
……!!
어디서
펀치가
………!!!

흐브억!!!

두
웅..!!
너만큼은 반드시!!!
'와노쿠니'에서 쫓아내 줄 테다!!!

(카나가와현 · 하마네 씨)

D : 오다 씨가 좋아하는 PTA와 싫어하는 PTA를 가르쳐주세요. P.N. 됐잖여

O : 좋아하는 PTA는 아이와 함께 ONE PIECE를 즐겨 주시는 PTA입니다!! 싫어하는 PT… 있을 리가 없잖아요~~. 생긋생긋♡

D : 로가 '신의 천적' D의 일족이라는 운명을 받아들이고 살았듯이, 오다 선생님도 스스로가 'PTA의 천적'이라는 사실을 받아들이고 살아야 마땅해요. P.N. 견신묘청

O : 싫거든요~~~!!
PTA한테 이쁨받고 싶어!!
하지만 소년들의 꿈도 그리고 싶어…!! 제길……!!

D : 오다 씨, 안녕하세요! 응가 나오시나요? P.N. 코타로

O : 뿌직뿌직 너무 나와서 도쿄의 거리를 내려다본 적이 있습니다!! 제길…!!

D : 닌닌. 라이조와 후쿠로쿠쥬는 라이벌 닌자인 듯합니다만, 둘 사이에 무슨 일이 있었는지 알고 싶습니다.
닌닌. P.N. 코타로

O : 아—. 이것도 굳이 얘기할 것까지 있나 싶어서, 패스하고 말았네요—(웃음). 대강 말하자면 이렇습니다.
'두루두루 술법'도 있고, 뛰어난 신체능력을 가진 천재 닌자 라이조는, 닌자 군단 리더 후쿠로쿠쥬의 병약한 여동생 '후쿠미'를 사랑했습니다.
어느 날, 임무 중에 후쿠미는 라이조에게 구출되고 그 듬직한 모습에 반해 키스하려던 찰나, 쑥맥 덩어리 라이조가 후쿠미를 뿌리치는 바람에 상처를 입히고 맙니다. 면목이 없어진 라이조는 그대로 도망.
병상에서 후쿠미는 죽을 때까지 라이조의 이름을 부릅니다.
그걸 원망의 말로 착각한 후쿠로쿠쥬는, 분노에 찬 나머지 머리와, 귓불이 길어졌다나 뭐라나…. 그리고 평생 라이조를 용서하지 않으리라 결심한 겁니다. 라이조는 변명하지 않아요.

제 1042 화
〈수식어는 '승자'에게 안 붙는다〉

제르마 66의 앗 무감정 해유기 Vol.6 '니디와 욘디를 홀케이크 아일랜드로'

성안
지하
1층
하아.
하아.
두웅!!

뚜욱
뚜욱…

……
이유를
말해라…
드레이크.
크읍…
………
……!!

하아,
하아….
나의……
정의다……!!

부럽군….

훅

쐐액

드
웅
윽!!!
쿵챙 쿵챙♪
'꽃의 도읍'
와하하!!
쿵챙♪
시끌 시끌
소원은 적었나?!
쿵챙♪
하늘배에 불을 지펴——!!
시끌 시끌

쿵챙♪
시끌 시끌
와—!!
와하하하
날린다~~~~!!
소원을 하늘로!!

'오니가시마'
옥상——
빠각!!
윽!!!
끄으~~~.
두두 두두두!!

끼릭 끼릭..!!
쿠콰앙!!

쿠
!!!
아
!!
둥
허.
허…
파파파
공격의
궤도를
뒤틀다니…?!
아프군
…!!!
말도
안 돼.
고무의
성질상…!!
콰콰 콰콰콰
으아아아
아아아!!!
두 콰콰 콰콰콰
그만 좀 해—!!
아프다~~!!
아프니까
~~~…
~~~

콰
콰
콰
그만하라구
~~웅♡
웅석
술주정
콰
퍼
엉

울컥!!
아직 취해
있냐아!!!
끄으~~~.
'미래'가
보이는 게
너뿐이라고
생각하지
마라!!!

!!!
샤매액!!
헉….
흉내
내주랴
……!!
헉…!!
?!

끄으~~.
이렇게나?!
도벽
술주정
두
웅

퍼억!!
콰그
차
!!!
으왓!!
서걱
빠각
아야야
야얏!!!

으와아 아앗.
쿠콩
쿠콩…!!
끄으~ ~~!!!
콰득!!
콰득!!
쩌억
!!
콰확!!
'보로 브레스'!!!
잡아 먹혔다ー!!!

내보내,
자식아
—!!!
콰
앙
!!
화
!!!

콰
광!!
으와악
~~~!!!

쿨럭.
펴펑!!

쿨럭.
'바운드맨'!!!
으윽.
헉, 헉….
피디잉!!
~~~

이 자식!!
펴펴펴
펴펴엉
워로로
……….
돌아왔나.
앞으로
몇 분
버티지
…?!
이게
마지막
'기어 4'!!
더는
시간이
없는데!!
질 수
없다구!!
덥석!!
네가 있는 한!!
'와노쿠니'
녀석들은
물조차 제대로
못 마셔!!
끼릭
끼릭
'고무
고무'우!!
!!
끄으~~~.
그러냐.
보기보다
빡세군.
하아,
하아….
워로
로로!!
네가
누구 편을 들건
상관없지만…!!
웅
헉
헉

'와노쿠니' 놈들은 패배에 익숙해진 거다.
'비폭력적인 약자'!! '명예로운 죽은 자'!!
핑계가 붙는 '패배자'들을 썩어 넘치게 봐왔다!!!
'오버 콩 건'!!!!
웅!!
시끄러어!!!
사무라이는 강해!!!
끼릭끼릭
강한 거냐?! 아님 강한 척인가?! 수식어는 '승자'에게 안 붙는다!!
너는 어느 쪽이지?!!
캬아!!
드콰콰콰
콰콰콱!!

!!!
드
아직 멀었어!!
…하아….
'기어 4'를 쓸 수
있는 동안에 완전히
때려눕혀야 해!!
'포(咆)'
'뢰(雷)'…!!!
후두두둑
!!

'팔괘'!!!
!!!

콰당탕!!
헉— 헉—….
휘청…!!

우읍!!
빠지지 마,
힘!!
!!
살육 술주정
워로로
…….

……!!
한 방 더……!!
이걸로 안 되면
내 패배야……!!!
하아, 하아….
'고무고무' 우~~!!
퍼엉!!!

어디 와보거라, 애송이——!!!
'뢰' '포'
……
샤악!!
'오버'
?!
터덥!!

엇?!
'철괴'.
!!!

?!
'CP0'?!!
모모…
아버님.

(도코도 · 호타니 나이토 씨)

D : 오다 선생님, 안녕하세요. 내년부터 PTA 임원을 맡게 되었습니다(웃음). 제가 말이에요(웃음). 마을 사람들 추천이니 감사하는 마음으로 열심히 하겠습니다.

P.N. 사나닷치

O : 이거 참— 이 코너에서 마침내, PTA 임원이 나오는 날이 오는군요. 지금까지 건전하게 해온 보람이... 사나다 ~~~!!!
거짓말이라고 해줘—!!

D : 만약 밀짚모자 일당이 달력에 한 달 치 스케줄을 써넣는다면, 각자 어떤 예정을 가장 많이 써넣게 될까요?

P.N. 에피

O : 애초에 말이죠. '날짜', '시간'을 신경 쓰는 건 항해사인 나미 정도뿐이지 않나 싶어요. '시간'을 신경 쓰는 건 상디, '날짜'는 로빈도 알고 있고요. 생일 파티 같은 것도 별로 하지 않습니다. 뭘 핑계로든 원하는 때에 연회를 벌이니까요. '망꾼 당번', '조타 당번' 같은 걸 빼면, 답은 모두가 '자유시간'이랄까(웃음).

D : 루피 일행이 와노쿠니에서 먹고 마음에 든 와노쿠니 요리는 무엇입니까?

P.N. 고에몬

O : 체류 기간이 길어서 이것저것 먹어본 듯합니다—.

오뎅

스시

팥죽

고등어 된장조림

*자완무시

*일본식 계란찜

딸기 찹쌀떡

소바

튀김덮밥

미타라시 경단

*오차즈케

*녹차에 밥을 말아 먹는 일본요리

제 1043 화
'함께 죽자!!!'

제르마 66의 앗 무감정 해유기 Vol.7 '도착! 홀케이크 아일랜드'

으…

쿠콰앙!
아아아
——!!!
!!!

쿨럭!!!

하아.
하아.
쿠구구우…!!…
와아아아아
……
…….
푸쉬익―!!
쉬리리리릭…
쿠
구구우
어?!
오싹!!
루피의 '목소리'가… 들리지 않소만…?!

털썩

헉.
헉—.

조———...용

'해골 돔' 옥상의 싸움
웅!!
......
....

승자
'백수의 카이도'
하아.
하아.
각오하고 한 짓인가….

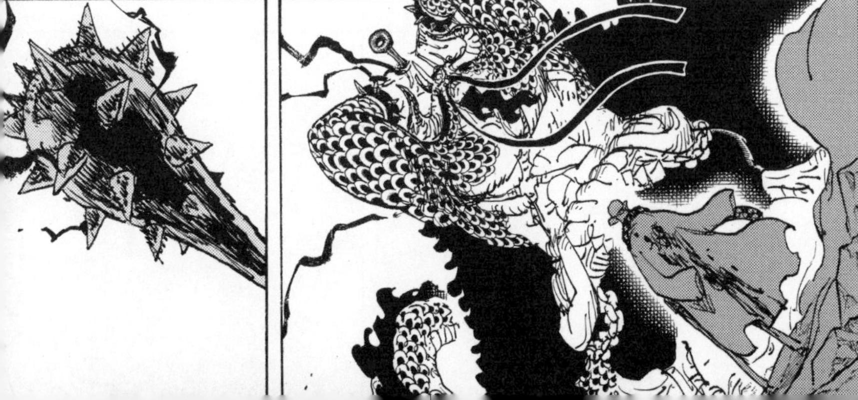

두콰아…앙!!
!!!

으아악 ~~~!!
또 떨어진다!!
퓨콰아…앙!!

와아아아아…!!
콰과아…앙
콰장창!!
……
…….

와-!
그악-!

카와마츠 씨, 천장이 무너집니다!!
와-!
그악-!
………
……!!

성안에 아직
몇천 명의
동지들이
있다!!
여기는
상공!!
물이
없어!!!

쿠오오오
아아아아
와
이런
'큰불'은
어쩔 도리가
없음이야!!
부탁이다!!
다들
뛰쳐나오게!!
불타는 죽음에
명예 따위는
없어!!!

쿠과
아앙!
?!
으와아
아아악
~~~!!
!!!
와아아아아
!!!
에엑?!!
~~~

유
웅
카이도 님!!!
너희의 대장은 어디냐!! 모모노스케에게
항복을 선언하게 해라!!!
42
거짓말이야!! 밀짚모자가 …?!!
우오오오오!
우오~~~!! 해냈다. 카이도 님의 완전 승리!!!

'밀짚모자 루피'는 죽었다!!!
아직 내게 맞서고 싶은 놈은 나와서 이름을 대라!!!
?!!

밀짚모자의 '목소리'가
사라졌다 ……!!
와아아아아

헛된 꿈을 꿨군….

…이게 현실인가….
—더는 여력이 없어…!!

으허어어 어어~엉!!
루피가 당했어 ~~!!!

관둬. 나서지 마!!
저걸 떠들게 놔둬?! 저 뱀이 뭐라는 거야?!
웃기지도 않은 거짓말 집어치워!!
와아아아
오라비….

루피가 질 리 없어!!!
죽을 리 없다구!! 어디서 수작이야.

기세등등한 게 있군그래….
거짓말쟁이!!
안 믿어!!
번쩍

쿠
물러서!!!
콰아앙!!!
꺄악.

자포자기하지 마!! 모든 게 끝날 때까지!!
루피…!!

지금부터 '오니가시마'는 예정대로 '꽃의 도읍'에 착륙한다!!!
나는 오로치처럼 무르지 않다!!!

이 나라는 거대한 '무기공장'이다!!!
계집이든 꼬마든 상관없다!! 모두가 노예!!
일하다 지치면 그대로 죽어라!!
그게 너희의 일생이다!!
줄어든 노예는 얼마든지 보충하면 돼!!
너희는 나에게 맞섰고
분노를 샀다!!!
'패전'이란 그런 것이다!!!
너희가 진 대가로 내놓을 것은 '인권'과 '희망'!!!
그러지 마….
아내와 아이는…!!
모모노스케를 데려와라!!!
그때까지 싸움은 멈추지 않는다!!!
우오오오오오오

헤헤헤!!
이봐, 지금
이 틈이야!!
키드와 로의
목을 쳐라
——!!!
오오오오
!!
둘 다
숨넘어가기
일보
직전이다!!!
……!!
오오오
……!!
오오
빅 맘을
잡았다
한들!!
와아아
마지막 보루는
카이도 씨라구!!!

너희한테
승산 따위는
없었던 거야!!
?!!
채이잉!
선장들을
지켜라——!!!
!!!
!!!

이냥시키!!
이대로는 안 돼!! 가자!!
네!!

성안 지하──
사방이 불바다!! 이제 틀렸어!!
쿨럭, 쿨럭.
어딘가 길은…?!
출구를 찾아─!!!
꾸악
와

철컹!!
나는 싸우련다, 트라팔가….
항복도… 무저항도 사양이거든.
비틀…
와아
아아
아아
철컥
밀짚모자 녀석….
하아… 하아.
철그럭!!

무모한 소리 마시오!! 무리외다!!
루피가 이기지 못하는 상대에게 뭘 할 수 있겠소!!
죽을 작정하고 죽을 때까지 싸워야지!!
그게 '사무라이' 잖아?!!
우리 말고 누가 해?! 다들 이제 만신창이야.
카이도 역시 중상일걸!!!
사망자가 늘어날 뿐이외다!!
분하지만 루피가 패했다면
항복할 수밖에 없소!!
안 돼, 용납 못 해!!
살아서 뭘 어쩌게?! 또 노예로 돌아가 힘이 다해 죽는 날을 기다릴 거야?!
항복으로 목숨을 건진다는 보장은 없어!!!
!!
오로치에게 굴복하지 않고 세상을 등진 각 마을 '다이묘'들의 원통함도 마찬가지!!
이 싸움은 '와노쿠니'의 20년을 짊어지고 있는 거야!!!

여기서
손을 뺄
바에야
함께
죽자!!!
와아아아아아
콰과아…앙..!!
?!!
두
웅!!

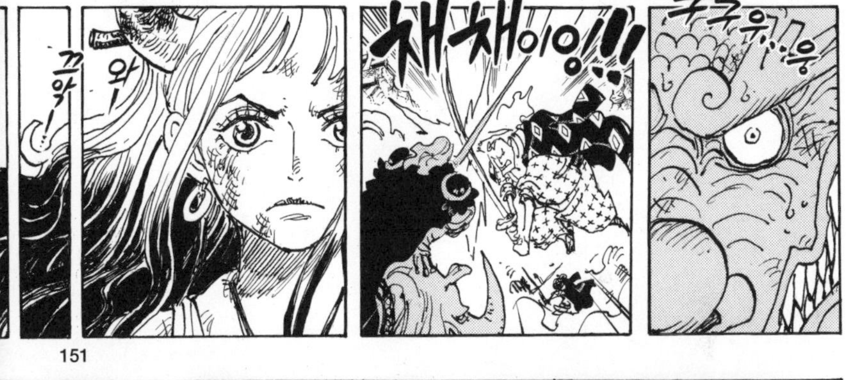
쿠구우…웅
채채이잉!!
와-
끄악-!

콰과아앙!!!
와아아아아아아…아 아..

쿠구구구…
와ー
쿠구우…웅
끄악ー…
와ー
콰과아아앙…
끄악ー…
두근…
와아아아아아아…

152

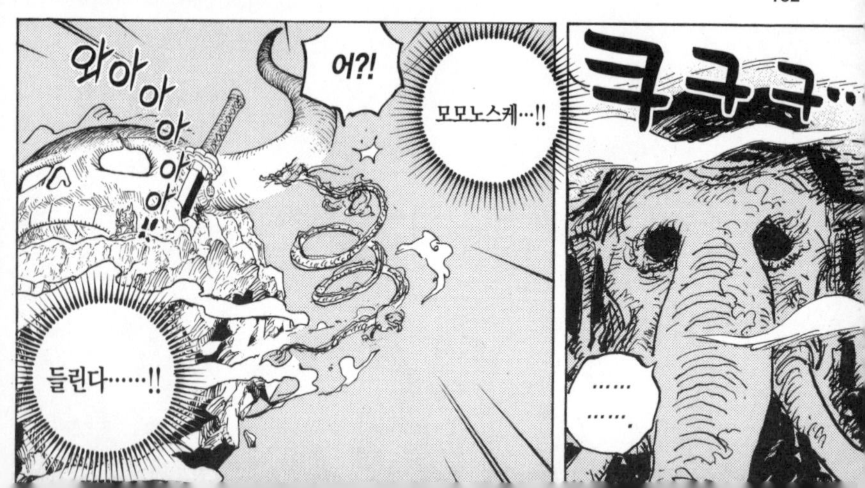
쿠구구…
어?!
모모노스케…!!
와아아아아아!!
들린다……!!
……
…….

그립군.
둥 둥두둥
즈니샤, 무어가 말이오?!
?
'해방의 드럼'이 들린다.
둥 둥두둥♪
둥 둥두둥♪
800년 만에 듣는군……!! 틀림없어. 거기에 있다.
누가 말이외까?!

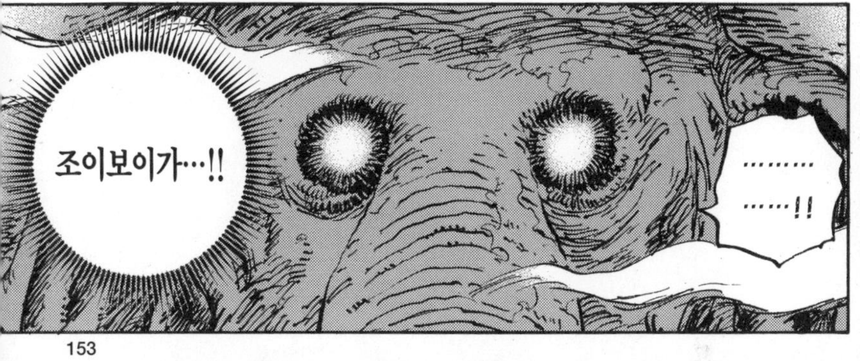
………
……!!
조이보이가…!!

돌아왔다!!!
씨익!
두웅!!

(카나가와현 · 야마 씨)

D : 오다 쌤, 배꼽. 심장 소리가
'둥둥두둥♪ 둥둥두둥♬' 하고 울립니다.
왜 그런 거죠? P.N. 진베이

O : 어...?! 설마...!! 붙잡아—!! P.N. 진베이를
지금 당장 붙잡아—!! 이 심장 소리는...!!
고혈압 환자다 ~~~!! 병원으로~~~!!

D : 오로치는 왜 아직 살아있는 건가요?!
뱀뱀 열매 환수종 모델 '야마타노오로치'는
목숨이 8개 있다는 건가요?? P.N. 아바

O : 네. 목을 8번 잘라내지 않으면 안 죽어요!
이것도 그 녀석의 능력이랍니다!!
참 열받죠!!

D : 오다 쌤—!! 아푸는 온몸이 악기로 돼서
머리 : 심벌즈
이빨 : 피아노
가슴 : 태고
왼팔 : 트럼펫
오른팔 : 현악기
턱은 '빵' 소리가 나는
악기잖아요.
다른 곳은 어떤
악기인가요?
P.N. 노리센

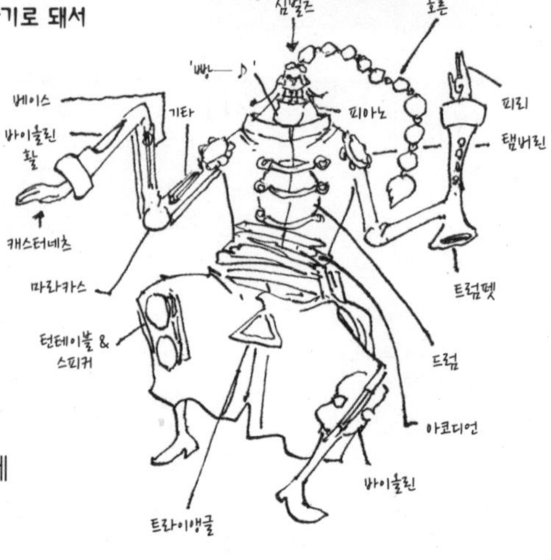

O : 이런 식입니다. 다리 사이에
트라이앵글이 있어요!
그럼, 이만 끝!
다음 권 SBS에서 또 봐요~~~!!

제 1044 화
'해방의 전사'

제르마 66의 앗 무감정 해유기 Vol.8 '마마는 원정. 연구 개시!!'

두근…
쿠구구구 오오
어떻게 된 거지? 나….
어째서? …아직 서 있네.
둥둥두둥♪
졌는데.
둥둥두둥♪
재밌어지는걸….
팍
팍
아하하 하하!!
둥둥두둥♪
둥둥두둥♪

팍
팍
와아아아아아아아
조이보이 ……?!
!!!
루피가?!
즈니샤가…… 그렇게 말했어?!!

좌뇌탑
유곽──
후우두둑…
헉!!
까악!!
정신
차리셨네요…!!
해적 나리!!
벌떡!!
까악
와!
………
……!!
하아,
하아….
루피……?!
라이브
플로어
와아아아아아…!!
쿠구우…웅
앙?!
와! 꺄악
?!
엇….
밀짚모자인가…?!
밀짚모자
…?!
이봐!
그 녀석 아직
숨이 붙어 있어.
두콰아앙
와!
루피,
살아있는
거야?!!
살아있시야요?!!
오라비~~~.
쿠구구…

성지
마리조아
판게아 성
'권력의 방'
쿠쿠
쿠쿠쿠 오오오
특급
에이전트를
하나 잃고
카이도의
분노를 사다니
본말전도가
아닌가.

그편이 더 나은
미래라고 한다면
어쩔 텐가?
불안 요소는
치우는 게
제일이야….
'고무고무 열매'는
어느 시대든
'세계정부'가
회수를 시도해
왔으나…
결코
그 손아귀에
들어오는 일이
없었지.
800년
씩이나…!!

마치
'악마의 열매'가
우리에게서
도망치는 거
같군.
터무니없는
얘기도
아니지.
동물계
열매에는
의지가
깃든다.
하물며
그 열매에는
'신'의
이름이….
'고무고무
열매'의
또 하나의
이름은…
동물계
'사람사람
열매'
환수종…
모델

'니카'.
둥 둥두둥♪
아하하하 하하하!!!
둥 둥 두 둥♪
그 몸은 고무 그 자체의 성질을 지니며
공상한 대로 싸우고… 사람들을 미소 짓게 했다는
'해방의 전사', 다른 이름으로는
'태양의 신 니카'.
각성은 고무의 몸에 더 나은 '완력'과 '자유'를 안겨준다는,
세상에서 가장…

어처구니없는 능력이라 들었다…!!
파직 파직!!
오니가시마 '보물전' 2층——
히… 히요리!!
와아아아아아아
콰과아…앙!!

두웅!!
오… 오뎅은 나도 아주 좋아했다…!!
잘… 생각해 봐…!!
나는… 카이도에게 이용당했던 거다!!
함께 도망치자…!! 자, 못을 뽑…

은혜를 베푼 사무라이들에게… 뒷발로 모래를 끼얹어 온 당신의 말이
이제 와서 누구에게 닿겠습니까.
피리잉♪
피리디잉♪
아버지는 약속을 지켰습니다.
아닙니까?

당신과 카이도와 나눈 '와노쿠니'를 해방한다는 약속을 믿고
피디잉♪
5년이나 되는 세월 동안 아버지는 줄곧 익살맞게 춤을 췄지요………!!
가족에게도 변명 하나 않고서!!
피디디잉♪

아버지는 약속을 지켰습니다!!
모두를 반드시 해방한다는 약속을 믿고
1시간의 팽형도 견뎌냈지요!!
뜨거운 기름에 몸이 불타면서도…!!

그 어느 때든 웃고 계셨지만…
온 나라 사람들의 목숨을 인질로 잡혀
혼자 참으며 버틴 아버지의 괴로움은…
얼마나 컸을는지요!!!
……!!
와아아아아아…
♪
……!!
왜 그러냐, 히요리~~?
♪
쿠구구구…

아버님은 남들한테 나쁜 말 들어도 괜찮아?
그래, 괜찮다.
왜…?
나한테는 너희가 있잖니!!

정말?! 그럼 쭉 같이 있을게!!
………
……!!
…물론!! 오뎅은 훌륭한 사무라이였다!!
내 친히 기릴 것이다. '쇼군'으로서 네 아비를 ………
……
……
딸그랑!!
!!

내 이름은 '코즈키 히요리'!!!
입 다물 거라, 무례한 놈!!!

히익———!!!
배를 곯아도, 넝마를 입어도!! 나는 아버지의 이름에 부끄럽지 않게 살아왔다!!
당신이 '쇼군'이었던 날은 단 하루도 존재하지 않아.
어리석고 한심스러워!!!
……
…!!
그럴수록 떠난 목숨이 구원받지 못해!!!
흐와왁!!! 이봐?! 관둬!!
아무 짓도 하지 마!!!
복수 같은 건 시대에 뒤떨어진다고!!
날 죽여도!! 어차피 카이도한테는 못 이긴다고!!
오로치 님….
응?
실패… 했습… 니다….
네놈,
칸주로냐?!
더… 이상은.
마침 잘 왔다!! 새… 새로운 무대를 주마!!
저 여자를 태워 죽여라!!!
달려들어라. 끄후하하하. '20년을 견딘 여자의 복수 실패'!!!
무슨 이런 비희극이 있나!! 보았느냐, '코즈키'의 잔당 히요리!! 이것이 강자의 '운'인 게야!!

오로치 님….
비실
비실
흐어—?! 이놈!! 이쪽이 아니다!!!
쾅!!
꼬아아아악 ~~~~~~!!!
아아 아아아아아

'새벽'은 분명 옵니다.
아아아아
바보천치 칸주로오. 히요리, 구해라아!!! 뜨거워어어어어!!!
아아아아!!
쿠구구구구구…
'코즈키'는 ……
약속을 지키는 일족!!
둥둥두둥♪
둥둥두둥♪
…… …….

둥둥두둥♪
내가 하고 싶던 거 전부 할 수 있어…!! 좀 더 싸울 수 있겠네.
심장 소리도 재밌고!!
둥둥두둥♪
이게 내 최고 지점이야 ………!! 이거다…!!!
'기어 5 (피프스)'!!!
파직!!
파직!!
두웅!!

!!!
파직!!
파직
으와아 아악!!

엇.
후들…
후들…

어이, 너희들!!

털썩
털썩…
……… ……!!

뭐가 있는 거지?!
옥상에…!!!

파직!!
파직
후두둑...!!
야,
왜 그래?!!
털썩
누구의
'패왕색'이지?!!
!!!
콰아앙!!
엑~~~~
~~~~~
~~~~?!!
덥석!!

어디서
?!!
밀짚모자…?!
루피야
~~~?!!
으허어엉
두콰콰콰
우오
오오!!!
오오
카이도
씨?!!
콰아앙!!
~~~

끈!!
오오오
오오!!
으랏차아
——
—!!!
으와악
~~~!!!
와지—끈!!
읍!!
~~~

이히히!!

끄윽!!!

푸콰아앙!!
하아,
하아.
아하하
하하!!
………
……!!
휘청
휘청
밀짚모자…!!
살아 있었나…!!
고맙구나.
화
'보로
브레스'!!!

쿠왁
아하하 하하!!
응?
으에엑──!!!
아아아아아아아
터덥!!
영차.
쭈욱
그궁!!
주르르르륵
흐읍─!!
가라앗 ~~~!!!
피요옹
?!!!

콰아‥앙!!
아하하핫!!
GEAR5
기어 피프스
.........!!
아까는
웬 멍청이 때문에
미안했다…!!
그걸로
이긴 셈
치고 싶지
않았다.
신경
쓰지 마!!
결판을
내자!!!
두
웅!!

'NEXT LEVEL'

제1045화

vol.103
ONE PIECE

그런 '변신'은 '동물계'의 전매특허잖나!!!

응?

콰지!!
끄아악 ~~~!!!
!!
덥석!!
아아아 ~~~!!
꿀꺽!!
끼기긱..
이 짜식이!!
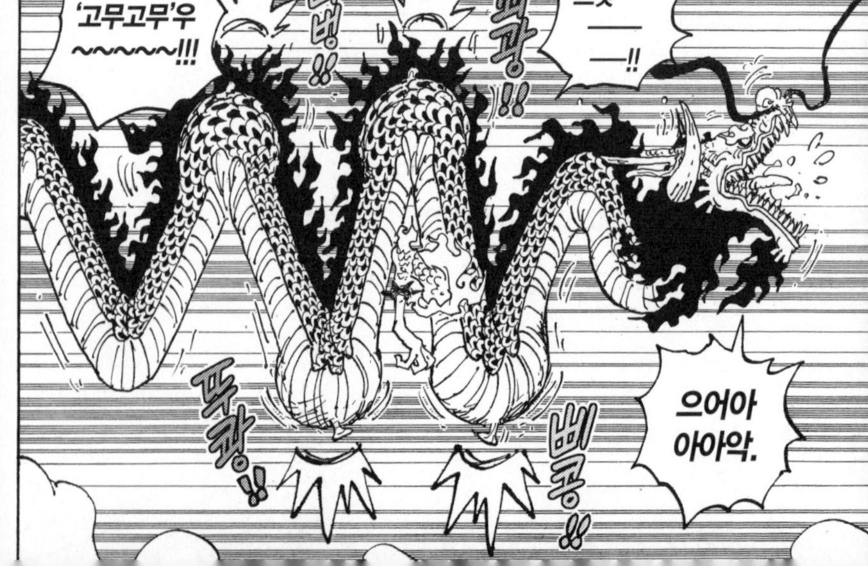
'고무고무'우 ~~~~~!!!
뻐벙!!
뜨앗—
——
—!!
콰광!!
으어아 아아악.
뜨콰앙!!
삐콩!!

'풍선'~~~~~!!!
뻐
끄어어
어억!!!
방!!
우웨엑!!!
네 이놈
……!!!
둥실!!
둥실!!
!!

쿠르르릉…!!
번쩍!!
저게 뭐지?!
무슨 일이 벌어진 거야?!
모르겠다!! 카이도가 살쪘소……!!
저런 형태가 있었나?!
제길…!! 어찌 된 일이지?!
내 몸은 고무가 아니야!!
오!! 빛이 2개!!

'고무고무'우 ~~~~!!!
파파!!
우오오오!!!
커덥!!

쑤봉
'탈출 로켓'
~~~~!!!
푸워헥
~~~~
~~~~!!!
나하하
하하!!!
이히히!!!
우흡!!
후—읍!
포옥!
파직
파직!!
아아아아아.
?!
'고무고무'~~
…?
루피
……?!
엑~~~~?!!
~~~~

'기간트'!!!
?!!

………
……!!
저거
누구야
~~~?!
엑──?!
왜 저것에서
루피의
'목소리'가?!
루피야?!
와득!
끄악~~~!!
'고무고무'
!!
콰
앙!!
콰앙!
~~~

'줄넘기' ~~~!!!
부웅!! 부웅!!
부웅!! 부웅!!
끄어어어어 ~~~~!!!

우오오오 오오오!!
휘오오~~!!
'보르브레스'!!!
번쩍!!
!!!
화륵!!
확
!!
앗 뜨거 ~~~~ ~~~!!!

으와아!!
'보로브레스'를
정통으로!!
휘리리리리릭…

쌔액쌔액!
용서 못 해.
바짝!
콰!!
푸닥
푸닥
푸닥
푸닥
푸닥!!

펑!!
쌔애애애애애애애앵!!

'고무고무'우
하아… 하아….
'항삼세' ……
파직
파직…!!
'라그나 라크'!!!
아파앗 ~~~!!!
끄아아 아악!!!
엑~~~ ~~~?!!

끼야아아아아아아아아아악
쑤 뿅!!
으쩍
으쩍
흐니니 니닛!!
쩌―――억!!
쉬리리리릭―…
철푸덕…
마치 그림책 같군……!!
파다악!!
…… …….
흥미로운 '쇼'였다만,
결국 한계 아니냐?
너는 날 쓰러트리지 못해.
아야야.
헉!…
헉!…
헉!…
시끄러허―!!

쿠쿠쿠…!!
누가 한계란 거야!!
하아.
스르륵…
응?
하아.
쉬—…익
으…
헉—.
후—….
헥—….
헥—….
추—욱
지쳤어.
흔들 흔들
누구냐, 네놈!!!
음.
…하아 ……!!!
쿠구웅…!!

마따… 나 죽을 뻔해찌….
소모가 엄청나네, 이거….
안심하고 죽어라. 너희의 싸움은 누군가의 입으로 전해질 거다….
헉!…
난 그딴 거 필요 없어 ………!!
!
하아… 하아. 죽으면 모두 뼈만 남아. 이히히…!!

진짜로 루피야!!
머리도 옷도 하얘져서
다른 사람 같았어….
하지만
'목소리'는
사라져가고
있소…!!
끝낼 수야
있나……!!
모모……!!
타마……!!
하아…
하아….
처억…
킨에몬……!!
두 근…
페드로
……!!
워로로!!
이봐,
그러다 죽는다.
둥 둥두둥♪
그러니까
내가
그런 거에
쫄기라도
할 거
같아?!
뛰어라,
심장
소리…!!
둥 둥두둥♪

둥 둥두둥♪
왔다!!
이 소리.
좋다!!
둥 둥두둥♪
위험해,
루피~~~!!!
쌔액

흐게엑
——!!!
깜짝!!
엑———
—?!
아퍼엇
——!!!
쌔—앵

우압—
——!!!
콰직!!

!!
흐무~읍
꿈틀 꿈틀…
쯔
와웅
으랴압—!!
철푸~덕!!
흐니니 니닛!!
파직
파직
'1'
'2'
'3'
'0'!!!
앙!!
콰
!
팽글!!
팽글!!

웬 놈이냔 말이다, 이놈은…!!
새하얗게 모습을 바꾸고

'무장색'도, '패왕색'도 두르고……
'다른 것'에 영향을 주는 이런 자유로운 전투.
본 적이 없다!!!
날 쓰러트릴 수 있는 놈은 이 세상에 없다아!!!

?!!

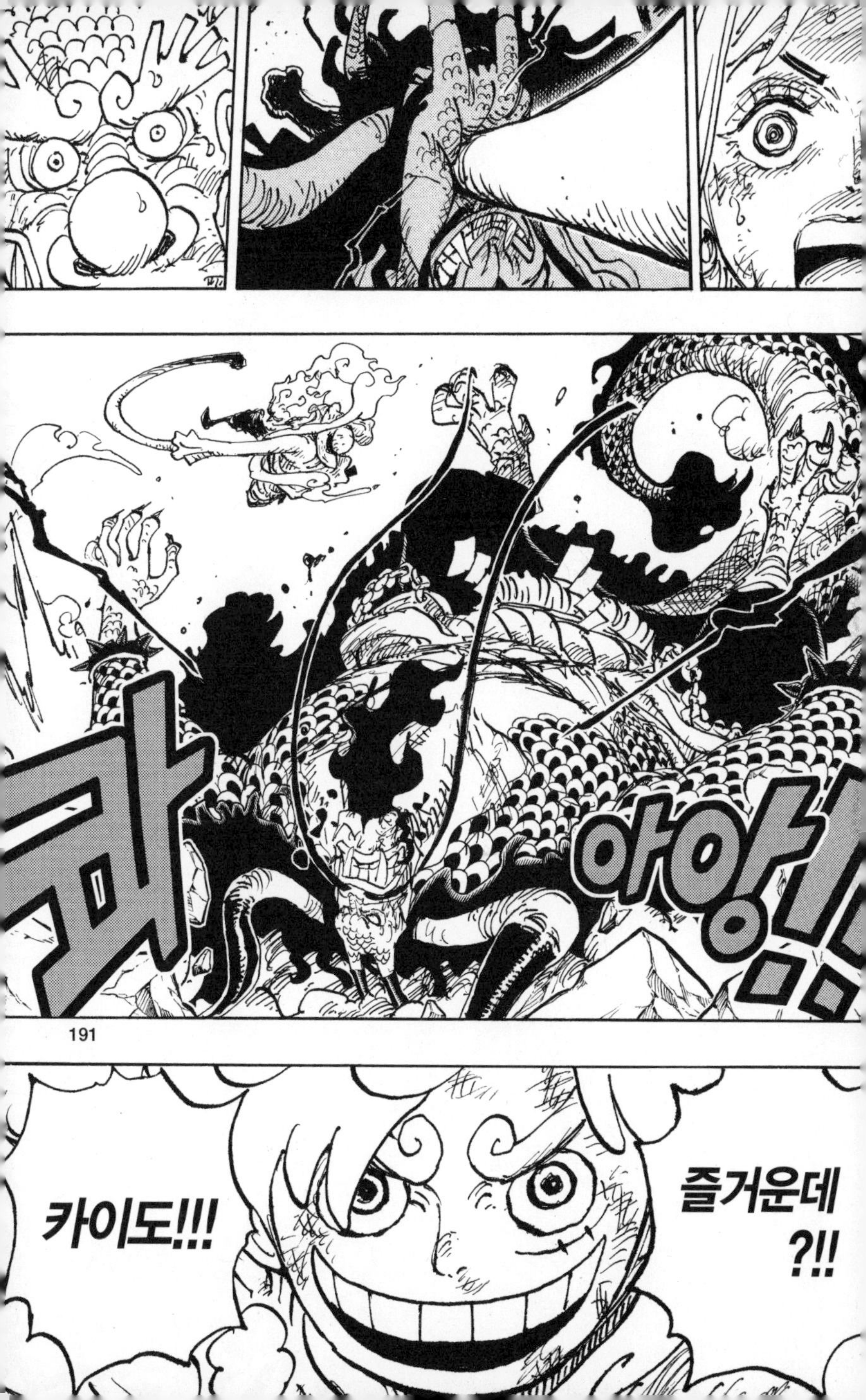
콰
아앙!!!
카이도!!!
즐거운데
?!!

제 1046 화
'라이조'

제르마 66의 앗 무감정 해유기 Vol.9 '푸딩의 마을 '쇼콜라 타운'에 침입자 2명!!'

조금 전 기술….
고무고무 뭐라고 할까?
삐요—옹
뽀요—옹
욱…….
…하나 묻겠다…….
하아… 하아….
?
둥둥두둥♪
둥둥두둥♪
너는……
누구냐.
?

그립군…….
이 리듬….
둥둥두둥♪
조이보이.
둥둥두둥♪
이봐… 조이보이….

마치 네가 거기 있는 것 같다….
마음이 춤을 춰….
'운명'을 느끼지 않을 수 없다.
그에게… 기대하지 않을 수가
둥둥두둥♪
둥둥두둥♪
없단 말이다……….
내가 누구냐고?
몽키 D. 루피!!
너를 뛰어넘어!!

'해적왕'이!!
될 남자다!!!
두웅!!

시건방은
건재해서 안심했다,
'밀짚모자'야!!
네 심신이 '능력'을
따라잡았을 때 일어나는 게
바로
'각성'이지.
…웃기는
능력이군!!!
!!!
흐헤븝
버컥
푸학!!!

——이미
꽤
잃었다….
지금까지
쌓아온 것들을
상당히!!
부하도!!
성도 말이야!!
너도 그렇지?

그래도
되찾아야만
할 게
있어!!!

이 짜식!!

'군다리
용성군'!!!
어헉!!!
……!!!

응?!
쿨럭. 쿨럭.
?!
하아… 하아….
아래는 플로어나 성 죄다 싸움의 불에 휩싸여 있다.
!!
와아아아
뭉게뭉게
콰콰콰콰
너희 쪽 군사도 몇천 명은 필경 갇혀 있을 테지!!
모조리 타 죽을 거다!!
아래쪽 일은 전부 그 녀석들한테 맡겼어!!
쌩쌩쌩
난 너를 날려버리면 그만이야!!
………
……!!

'괴풍'!!!
으와—
—억!!
삐요—옹!!
쏴
화

돔 안
라이브
플로어
쿠오오오오오오오오
불을
꺼어!!!
성안이
어떻다 수준이
아냐!!
드
와아아아아아아아아아아
웅!!
모든 탑이
타기
시작했다!!!
으허어엉
무사해?!
나미~~~!!
어쩌지, 불이
안 꺼져!!
쵸파.
조로도, 상디도,
프랑키도!!
우솝도, 로빈도,
브룩도, 징베도
모두 없어!!
불 속에
있는 걸까?!
정말로?!
—하지만
엉엉엉
찾고
싶어도
이젠
'오니가시마'가
불타고 있는
레벨이야!!
착륙하지
않는 한
이제
달아날 데가
없어!!
와
쏴아
쿠구구우
여기도
위험해!!
제…
제우스,
네 비로!!!
저런 불은
아무리 나라도
화상 입어!!

성안 지하——
이제 무리야……!!
불에 둘러싸였어!!
도망칠 곳이 없어!!
쿠오오오오오오오오
와
크악
젠장할!!!
1층——
뜨거운 거 질색———!!!
빠방!!
징하게 애먹인다. 베포, 너!! 뜨거!! 헉—, 헉—.
정말 무리일지도…. 살아서 나갈 수 있을 것 같지가 않아.
와아 아아
살려줘, 캡~~틴.
지하——
으어어 ~~~ 너, …가엾어!!
해줄 말이 안 떠올라!!
아니, 저 소사체 아니거든요?!
와아아아아아아
크악
모두 탈출할 수 있는 길은….
하아 하아
없을지도 몰라.

후둑…!!
좌뇌탑
유곽
으왓!!
틀렸어.
밖으로
도망치자니
쿠오오오…
정원이
사라지고
없어!!!
와-!
꺄악-!

지하
이비비
―!!

뜨겁다고
할 때가
아냐!!!
벽을 깨부숴!!
이대로
죽으려고?!!
팔 한 짝 정돈
버리란 말이야!!!

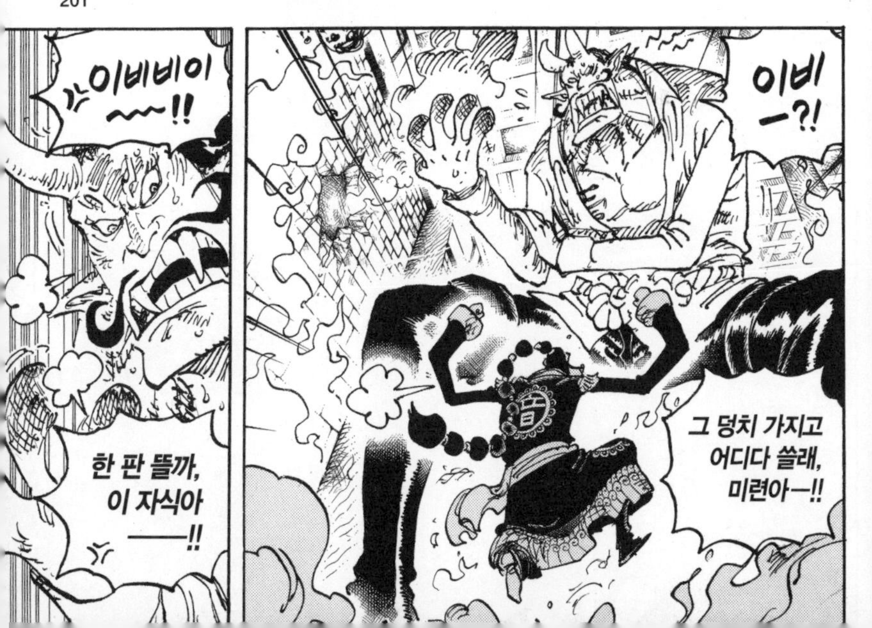
이비
―?!
그 덩치 가지고
어디다 쓸래,
미련아―!!
이비비이
~~~!!
한 판 뜰까,
이 자식아
――!!
~~~

지하
필살 '초록성' '스프링클러' ~~~~!!!
쏴—아!!
으와악—!!
그게 딱 언 발에 오줌 누기야, 형씨!!
아아악
화륵!!

시끄러워!! 어떻게든 해봐야지!!
이조하고 약속했다고!!
킨도, 키쿠도 구하고 나도 살고 싶어!!
형씨, 나도 끼워줘!!

우뇌탑
너무 잘 타잖아, 이놈의 성!!!
어디로 가면 좋지?!
얼른 쵸파한테 봐달라고 해야 하는데!!
조로의 목숨이 위험하건만!!
쿠오오오...!!
그 전에 다들 타죽겠어요!!
누구야, 약한 소리 하는 건!! 불태워 버린다?!!
타닥다다
살려줘, 형님 ~~~!!

성안
4층――
준비
되었소이다!!
징베 공!!
소인을
믿어주어
감사할
따름이오!!
……
…!!
펑!!
루피가
동맹을 맺은
사무라이들을!!
의심해서
어쩌겠나!!!
자,
오게나!!!
아암!!

소인이야말로!!
그대를 믿겠소!!
그날
이후…!!
준비라면
되었다!!
으와아
아아앙.
토키 님―!!
모모노스케
니임!!
히요리
니임~~~!!
쿠오오오

그날…!! 오뎅 님도 지키지 못하고!!
불타는 성안에서 모모노스케 님 일행을 불길에 놓아두고
'인술'을 지녔음에도 무엇 하나 지키지 못한, 참회해야 마땅한 큰 추태!!
그런 기억은 이제 다시는…!! 또다시는…!!!
닌닌닌
!!!
쿠구구구우
조!!
이누아라시!! 이 비는?!
즈니샤의 멱감기다…!!
텀 벙—!!!
엄청난 대량의 물!! 받아도 되겠는가?!
으직으직

불꽃 따위로 이 습격에 임한 자들을
죽게 두진 않을 것이다!!!
늦어서 미안하다, 다들!! 눈을 의심할 정도의 수류를 보여주도록 함세!!!

인법 '두루두루 술법'!!!
'조의 멱감기'!! 닌닌닌~~~!!
쏴좌좌아아아

'어인 유술'

첨벙!!
'봉환'!!!
콰아앙
꽈악!!
'수심
(水心)'
뽀골…
이거
크구먼!!
쿠쿠쿠쿠쿠
'해류 한 팔
업어치기'!!!

꾸콰아앙!!
3층
또 막다른 길!!
이제 무립니다!!
BB 씨!!
쿠쿠쿠
뭔 놈의
싸움이 이래.
불꽃 따위에
질까 보냐!!!
누가
방화라도
하고
다니나?!!

쥐비
?!!
엑~~~
~~~?!!
~~~

콰
콰
으왁
—!!
끄억—!!
콰아앙!!
성안
곳곳
퍼져라.
늦지
마라!!
모두를
구하라,
조의
물이여!!
콸콸콸
콸콸콸
성안
1층——
내려줘라,
너희들.
홧홧.
이 정도쯤은
하게 해줘,
킬러 씨!!
홧홧화
~~!!
아뜨뜨!!
어쩌지, 진짜
달아날 데가
없어!!
응?
뭐지, 엄청난
땅울림이.
쿠구구…
구구…!!

?!!
물이다
~~!!
첨벙!!
……
…!!
살았어
~~~!!!
~~~

서둘러, 모모노스케 군!!
!!
어?! 어째서!! 아직 카이도는 살아있소!!
와아아아아아아…
두
쿠구구… 웅!!
웅!!
한계야!!
쿠구우…웅!!
와아아아아아아아아
으와악 ―!!
끄아 ―.
이제 '불꽃 구름'은 못 버텨!!
네가 만들어!!! '오니가시마'를 버텨낼 '불꽃 구름'을!!
두웅!!
엑~~~ ~~~~ ~~~?!!
처음부터 그 길밖에 없었던 거야!!

파직 파직
'오니가시마' 가!!!
와아아 아
두두
웅!!
떨어진다!!!
〈원피스〉 104 권을 기대해 주세요!!

O : 네, 영화입니다—. 자, 어떡할까? 에서 시작해 여차저차,
'이 각본, 완벽해요!! 쿠로이와 씨!!'라고 말을 한 게,
언제적 일이었던가. 이번에는 가희가 라이브를 하는 그 당일의 이야기.
우선은 각본가

각본 : 쿠로이와 츠토무

ONE PIECE로 몇 번이나 신세를 졌습니다. 신뢰하는 남자!!
좋은 각본을 써주셨어요—!! 진짜 끝내줬어요!!
단, 이번에는 정말 특수한 영화입니다. 각본에는 이런 말들이.
'세계 제일의 가희', '여기서 좋은 곡'. 잠깐 기다려 봐! 누군데?! 그거.
이 이야기가 진짜 힘을 발휘하는 건

← 우타라는 캐릭터가 정말로
'가희'로서 관객의 마음을 사로잡은 때.
이거 큰일이네…. 그런 노랫소리 대체 누구여야
모두가 납득할는지…

우타 가창 파트 : Ado!!

꺄악~~!!! 맡아준다고?! 이미 이 이야기에 더할 나위 없을 설득력!!
본인부터가 진짜 성실한 사람이고 작품에 대한 이해도 물론이거니와,
진~짜로 훌륭한 가창력. 전율합니다!
아니 아니, 괜히 기뻐서 설치다 자빠지는 수가 있다고.
아무리 굉장한 가창력을 얻었다고 한들, 역시 곡이 평범하면 결국에는—.
안 그래도 이번에 7곡이나 필요해서…
⇦ 뭐~~?!! 헐~~?!! 곡 만들어준다고—?!

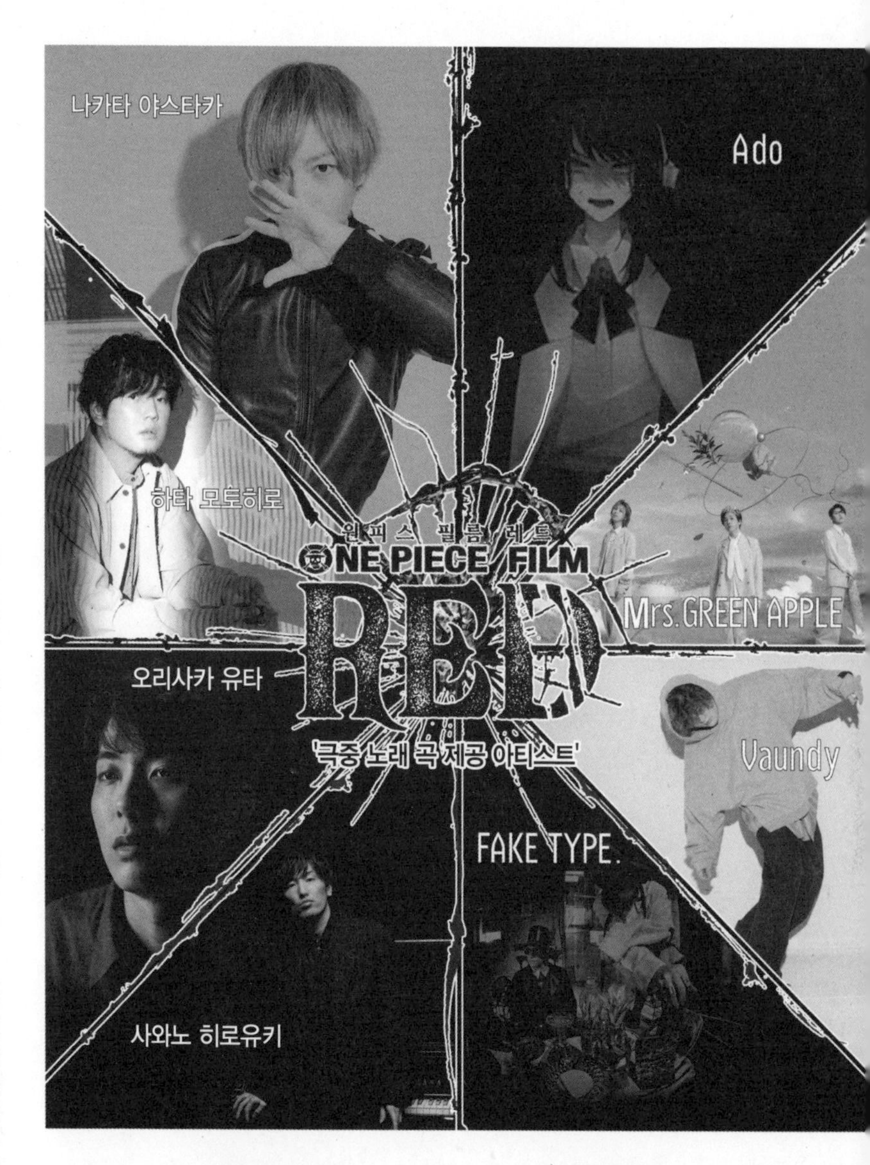

⬆ 네, 바로 이 '음악 칠무해'(YouTuber 시라스타 씨가 명명)가
곡을 제공해 주셨습니다!! 이 멤버 구성 뭐냐고! 정상전쟁 벌이나?!

★ 아니 아니, 속지 않는다구! 물론 이분들 실력이야 알고 있지.
하지만—, 그 어떤 히트 메이커라도 이번에 제공해주는 곡이
좋은 곡이라고 장담은 못… 좋잖아!! 그것도 전부!!
모든 곡이 끝내주게 좋아요(눈물). 게다가 Ado씨가 녹음하고 나니… 아주…!!
저는 이미 영화 완성 전부터 전곡 풀 패키지 받아서 헤비 로테이션 중인데요?
하실 말이라도? (특권)
★ 자, 너나 할 거 없이 실력파 '음악 칠무해'를 소개합니다!!

주제가 〈신시대〉 · 극반 : 나카타 야스타카!!

네. 뭐든 뚝딱 만드는 남자! 현실의 스타를 몇 명이나 배출한 남자!!
오프닝을 장식하기에 걸맞은 곡을 만들어 주셨습니다—!!
극반(劇伴)이란 사운드트랙이에요. 전체를 통틀어 나카타 씨의 음악의 연출력!
음미해주십시오!

★ 이번엔 어떤 영화냐면 '우타'라는
여자아이가 음악 방송으로
'세계의 가희'가 되어, 어떤 섬에서
첫 라이브가 열린답니다. 그곳을 찾은
루피 일행, 그리고 우타는 놀랍게도
'샹크스의 딸'!! 라이브 당일에
세계가 휘말리는 사건이 일어납니다!
라는 얘기. 요컨대, 라이브 1곡 1곡이 연출이자, 이야기거든요.
그래서 곡이 무척이나 중요해!! (뮤지컬이 아니에요)

극중 노래 〈나는 최강〉 : Mrs. GREEN APPLE!!

데뷔부터 강렬했어요. 그때도 영화에서 부를 가수를 찾아다녔던 것 같은데,
노래에 화려함이 있어요—! 그 힘을 빌려주면 좋겠어~!라는 부탁에 응해 주셔서,
이번에 당당히 신세를 지게 되었습니다! 흥분되는 곡이에요!!

극중 노래 〈역광〉 : Vaundy!!

젊은 나이에 팍팍 히트곡을 내는 몬스터 중 한 사람이죠—.
제작 스태프도 폭넓은 층이 지지!! 우타의 심정이 변하는 장면에
딱 들어맞는 곡을 멋지게 만들어 주셨습니다!

극중 노래 〈물거품 자장가〉 : FAKE TYPE.!!

네, 역시 빠트릴 수 없는 사람들이죠—. 참 멋져요—. 독자적인 길을 가는
일렉트로 유닛입니다만, 이 장면에 어떻게 좀 안 될까~ 했더니 응해주셨어요.
Ado 씨와 함께 엄청난 표현력!

극중 노래 〈Tot Musica〉 : 사와노 히로유키!!

저는 사운드트랙도 좋아해요. 이야기를 궁리할 때 가사가 없는 곡을 자주 듣습니다.
당연히 사와노 씨의 곡도! 이 장면은 까다로워요.
하지만 사와노 씨라면…!!이라고 생각했더니 엄청난 곡을 만들어 주셨습니다!

극중 노래 〈계속되는 세계〉 : 오리사카 유타!!

알 만한 사람은 다 아는 실력파 아티스트! 진짜 좋은 곡을 만드는 사람인데
마침 꽂혀서 듣던 참이라. 넘겨받은 곡을 감독이 콘티에 대입해 보고
'이거 찡한데!' 같은 말씀을 하시더라구요(웃음). 기대해 주시길!!

극중 노래 〈바람의 행방〉 : 하타 모토히로!!

네, 영화의 끝마무리는 바로 이분입니다!!
이미 여러분에게도 신뢰의 존재가 아닐까요?!
안심되는 빅 네임! 기대 이상의 곡을 제공해 주셨습니다.
탄성이 나올 거예요!!

★ 그런고로!! 그야말로 기적! 현실적으로는 오히려 이 라인업 무리수인데!(웃음)
와— 이건 벌써 영화 성공이구만—… 아니, 잠—깐!!
라이브거든요. '스테이지'가 있다구요. 우두커니 서서 불러도 되나?
춤이다…!! 어쩌지… 대충 짠 안무로는,
모처럼 나온 명곡들이 수포로…!!

← 계속

안무 · 안무 감독 : MIKIKO!!

떴다――!! 최강의 안무가 MIKIKO 씨가 이끄는
'ELEVEN PLAY'가 담당. 그거잖아요? '코이댄스'나 'Perfume'의
안무를 짠 사람이죠? 웬걸, 이게 진짜 또 깜찍하게 멋있는 춤이라구요!
아니 아니, 잠깐! 잠깐만! 암만 그래도 이거 '드라마'가 중요한데
스테이지만 잘 뽑혀봤자 연기가 말이지…!!

우타 보이스 파트 : 나즈카 카오리!!

끄아―!! 쩔어주는 연기력이구만!! 우리 '밀짚모자 일당'의
베테랑 (그 이상인) 성우분들에게 전혀 밀리지 않는 배짱!!
후우…!! 그래도 이건 말이지, 영화잖아? 결국 연출가가 모든 열쇠를…

감독 : 타니구치 고로!!

《코드 기아스》로 친숙한 대인기 초(超) 실력파 감독!…인데,
저는 사실 24년 전부터 아는 사이거든요―. 왜냐면 ONE PIECE의
TV 애니화 전에 있었던 이벤트에서, 처음 애니화 됐을 때의 감독이 바로
타니구치 씨!! 루피를 세상에 처음 움직이게 만들어준 남자!! 각자 24년의 행보 끝에,
여기서 다시 손을 잡는다!! 뭉클하잖아!! (스스로 말함)
하지만 아직 안심하지 않아!! 그림은?! 정작 그림이 나쁘면…

캐릭터 디자인 · 총 작화 감독 : 사토 마사유키!!

네, 안심!! ONE PIECE 팬, 모두가 사랑하는 사토마사 씨라구!!
하아… 하아…. 아, 지쳤다. 자 그럼, 온갖 전문가들의 프로듀스를 통해
탄생한 가희 우타! 영화의 키가 되는 인물입니다!!
루피는 뭘 하지? 샹크스는 나오나?

← 계속

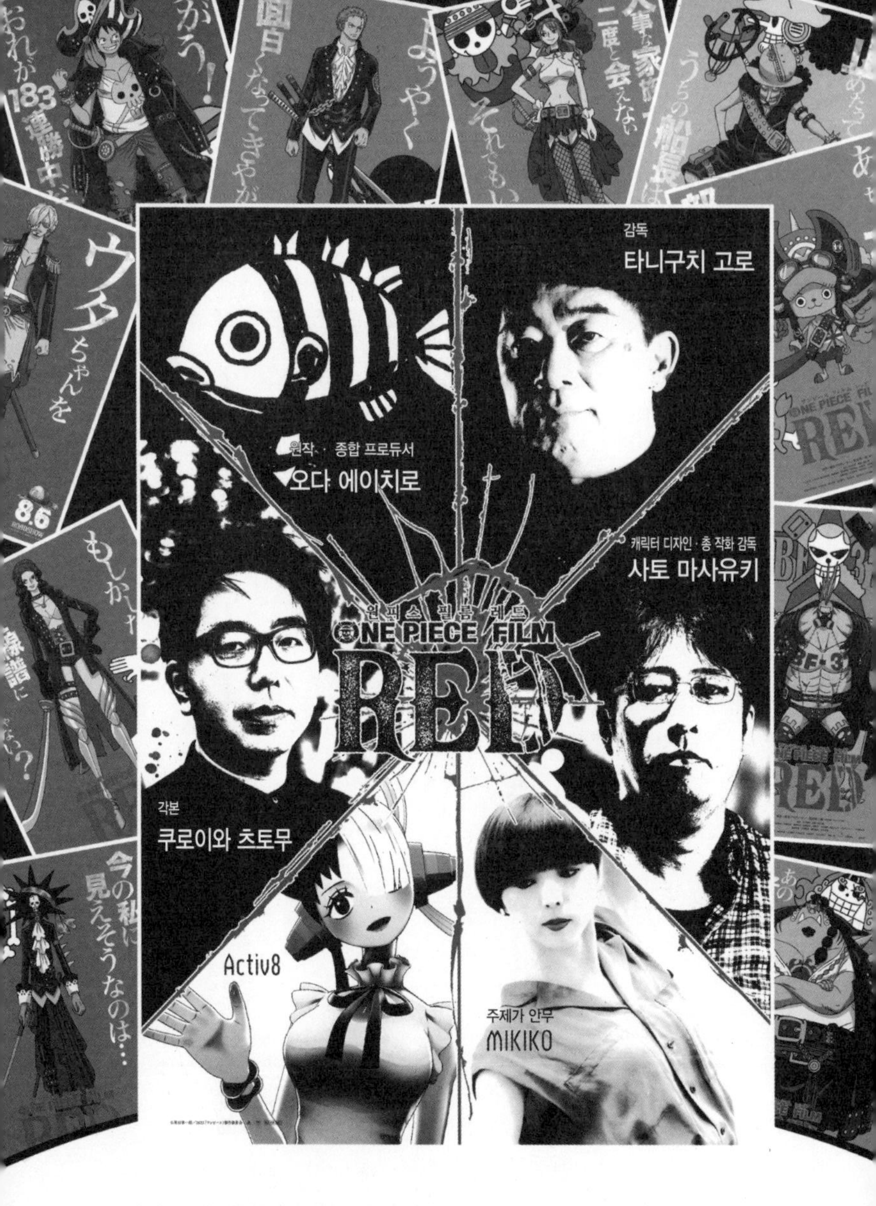

⬆ 아니, 누님 외에는 무섭다니까!!(웃음)
네, 개그용으로 만들어 주신 스태프 포스터―!!(웃음)
영화의 흑막들입니다!! 수많은 제작 스태프를 이끌고 있어요.
영화는 종합예술! 누구든 빠지면 안 됩니다!!

★ '영화'는 아무튼 잘 나왔어요. 기존 캐릭터에 관해서는
여기서 설명할 필요 없겠지. 그 녀석도! 그 녀석도! 그 녀석도 나와!!
★ 여느 때처럼 영화와 연동되는 TV 애니도 방송됩니다.
그런데, 우리의 장난기에 불이 붙었습니다. 영화 안의 관객과 마찬가지로 모두가
우타를 좋아하게 되면 '영화관에 가는' 일이 '우타의 라이브를 보러 가는' 것과
마찬가지인 거 아닌가? 재미로 탄생한 이 기획!
영화와 현실의 경계선을 없애!!

'우타 프로젝트'!!

우타는 스트리머입니다. 그러니 YouTuber라고 생각해주세요.
이른바 Vlog(비디오 블로그)로 일상을 방송합니다. 바로 이것!

6개의 '우타 일기'를 방송!! 재미로 한 이야기인데 이 영상을 만들어 준 건
바로 그 유명 Vtuber 키즈나 아이를 낳은 회사 'Activ8(액티베이트)'!!
이거 참 귀여워요! 대답도 하고(웃음). 꼭 봐주세요!
그리고 음악도 아낌없이 스트리밍하고 있습니다.
우타의 곡, 7곡 전부에 MV(뮤직비디오)가 만들어진다고 합니다만,
⬅ 이게 또 웬걸, YouTube에서 절대적인 인기를 자랑하는
유명 MV 크리에이터!! 놀이의 영역을 한참 뛰어넘었어!! 너무 호화로워!!(웃음)
이거 진짜 전부 다 최고이니까 부디 꼭 관람해주세요~!!

YouTube에서 **Ado(우타) 플레이리스트** 공개 중!

Ado 우타 로 검색하자!!

← 스마트폰 카메라로 찍어서 접속!!

인기 있는 게스트 성우진도 충실~~~!! 숨기기엔 너무 커다란 캐릭터(웃음),
타케나카 나오토 대두목도 찾아줘!!

★ 자, **8월 6일**부터 공개되는 'ONE PIECE FILM RED'!!
물론, 영화 자체만으로도 재미를 보장합니다만, 우리의 장난기에 올라타 준다면
더욱 더 재밌게 즐길 수 있을 거예요! 'YouTube'에서
MV (뮤직비디오) **7개**, **Vlog** (비디오 블로그) **6개**
영화 공개 전에 부디 꼭 우타를 만나보길 바랍니다! 4~5분짜리 영상이에요.
그녀의 말속에 여러 가지 힌트가 쏟아질지도 모릅니다.
어떤 성격일까요?
'딸'이라면, 왜 샹크스와 함께 있지 않은 거야?! 영화 본편에서
'대해적 샹크스'에 관한, 어떤 사실을 알게 돼버릴지도…!!
포스터 주위에 박아넣은 캐릭터 포스터도 눈여겨 봐주세요.
등장 캐릭터는 여럿!! 우타가 가희가 됨으로써 모두를 말려들게 하는
마음이 요동치는 스토리를, 루피를 비롯해 캐릭터 각자의 뜨거운 활약을!!
극장에서 부디 음미해주면 좋겠어요!!!

Eiichiro Oda.

아, 이것도 매번 하던 것, 관람객 특전 전국 합계 300만 명에게
40억 권을 선물.
300만은 굉장한 숫자니까
허둥대지 않아도 괜찮습니다! (아마도)
영화 예고 영상은 이쪽으로.
스마트폰 카메라로
찍어봐요!

예고 영상

등장 캐릭터
소개 페이지

※ p.210~219의 정보는 2022년 6월 일본 현지 기준입니다.

CHAMP COMICS

원피스 103

2023년 11월 23일 초판 인쇄
2023년 11월 30일 초판 발행

저자 : EIICHIRO ODA
역자 : 길명
발 행 인 : 황민호
콘텐츠1사업본부장 : 이봉석
책임편집 : 조동빈 /정은경
발행처 : 대원씨아이(주)

ISBN 979-11-6944-131-5 07830
ISBN 978-89-8442-320-6 (세트)

서울특별시 용산구 한강대로 15길 9-12
전화 : 2071-2000 FAX : 797-1023
1992년 5월 11일 등록 제1992-000026호

- 문의 : 영업 (02)2071-2074 / 편집 (02)2071-2027

www.dwci.co.kr